'26年版

公務員[illegible]す人の本

成美堂出版

本書の特色

世界は、地球温暖化のさらなる進展、ロシアによるウクライナ侵攻等で、大きな変革を迫られています。そうした、世界の中の日本や地域社会全体の変革の先頭に立ち、日本のこれからの 100 年の未来を築く制度や政策を国民や地域のために実行していくという公務員の役割はますます重要になっていきます。

公務員の仕事は、利潤をめざすのではなく、人々の幸福のために、なくてはならないさまざまな仕事を日本中や地域の人々のためにしていく仕事です。

それだけにやりがいのある仕事であり、今も志望する人がたくさんいます。また、経済状況によって給与が変動することが少ないということも魅力として受け取られていることでしょう。しかし、役所に行ってさまざまな手続きをしたことがあるというだけでは、公務員の仕事の内容についてはよくわからないものです。また、自分が普段気付かない場所でも、皆さんのために仕事をしている公務員がたくさんいます。つまり、公務員は、地域社会の支えであり、国民のため、住民のため、安心と信頼を生み出す使命をもっています。

本書は、これから就職活動をするにあたって、民間企業だけでなく、公務員も視野にいれてみようと思っているたくさんの人にぜひ読んでいただきたい本です。内容は5章に分かれ、次のようにまとめてあります。

Part 1

公務員として働いてみたいという漠然とした希望を持っているだけで、公務員に本当になりたいのか、自分でも決めかねているという人に読んでもらいたい部分です。公務員の仕事にはどんなものがあるのか、民間企業と公務員の違いは何か、待遇の違いはどうなっているのかなどをわかりやすく説明しました。

Part 2

公務員になりたいという気持ちにはなっているが、自分には向いているのだろうかと不安な人もいることでしょう。Part2 では、そのような人のために、公務員として求められる人材について職種別に簡単に説明するとともに、試験までにやらなければいけないことについてもまとめました。これなら自分にもできると思えるのではないでしょうか。また、公務員になりたいと心が決まっている人のために、学習計画の立て方や時期に応じた対策を紹介しました。

Part 3

公務員試験は、国家公務員、地方公務員に大きく分かれていますが、それぞれ採用後の仕事に応じて別の試験が実施されています。受験資格、試験種目、試験の内容などは似ているものもあれば、全く違うものもあります。このPart3では、主だった公務員試験の概要を見やすくまとめました。比較検討してみてください。また、採用後の仕事内容についても簡単に紹介しましたので、受験するかどうかの選択の参考に役立ててください。

Part 4

さらに、試験がどんなものなのか心配という人もいることでしょう。本書は、簡単ですが、実際の試験を想定した問題と、試験の出題傾向を科目ごとにとりあげて解説しましたので、試験の全体像が具体的にわかります。試験対策をどうしたらよいか、本書を読んで自分なりの考えをまとめてみてください。

Part 5

最後に、実際に試験準備を始めた場合の情報収集のしかたや、予備校などを利用する場合の心得なども簡単に説明しましたので、是非活用してください。

本書を読むことで、公務員になりたいという気持ちから、合格したいという前向きな気持ちになっていただければ幸いです。

※本書は、原則として令和６年８月の情報に基づいて編集しています。各試験の内容、実施日などは、受験する年度の試験案内を必ずご自身でご確認ください。

CONTENTS

Part 1 公務員について知る

Part 2 どうやって公務員になるのか

Part 3 公務員の種類と試験内容を知る

CONTENTS

Part 4 試験対策のコツとツボ

Part 5 公務員試験受験のための情報収集といろいろ活用術

国家公務員採用試験の変更点

【2024・2025 年度における主な変更点】

① 総合職試験（大卒程度）における「政治・国際・人文区分」の創設
② 春の大卒程度試験で基礎能力試験の出題数を削減するなど、試験問題の出題の見直し
③ 一般職試験（大卒程度）に教養区分が新設
④ 裁判所職員（総合・一般）の専門試験の出題の見直し

① 総合職試験（大卒程度）における「政治・国際・人文区分」の創設

思想・哲学、歴史、文学・芸術、人文地理学・文化人類学といった分野が新たに出題され、人文系の専攻者が自分の専門分野を選択して受験できるようになりました。

また、総合職試験（大卒程度）「政治・国際・人文区分」の専門試験は、従来の「政治・国際区分」と同じ科目を出題するコース A と、人文系の科目も出題するコース B とに分かれます。新たに設けられるコース B の専門試験は以下のとおりです。

●コース B　専門試験

多肢選択式	コース A・B 共通　必須問題 5 題	政治学①～②、国際関係①～②、憲法①～②
	必須問題 20 題	思想・哲学④、歴史学④、文学・芸術③、人文地理学・文化人類学②、心理学・教育学・社会学に関する基礎⑦
	選択問題 30 題中 15 題解答	思想・哲学⑥、歴史学⑥、文学・芸術⑥、人文地理学・文化人類学②、心理学③、教育学③、社会学④
記述式	選択問題 6 題から 2 題を選択解答	思想・哲学②、歴史学②、文学・芸術②

※○内の数字は出題予定数

なお、院卒者試験においては、上記と同様の科目が選択できる、選択Ⅰ「政治・国際・人文系」が創設されました。

② 試験問題の出題の見直し

1．基礎能力試験の見直し

2024（令和6）年以降の春の大卒程度試験において、基礎能力試験の出題数が**40題から30題に削減**されました。併せて、知識分野は**時事問題**を中心とし、普段から社会情勢等に関心を持っていれば対応できるような内容となりました。なお、基礎能力試験の出題数削減は知識問題を中心に行われ、それに伴い解答時間も短縮されました。また、すべての試験において知能分野を含む基礎能力試験の出題構成が変更されました。

●総合職試験（春・大卒程度）

これまで（40題、3時間）	
知能分野 27題	文章理解 11題 判断・数的推理（資料解釈を含む）16題
知識分野 13題	自然・人文・社会（時事を含む）13題

2024（令和6）年以降（30題、2時間20分）	
知能分野 24題	文章理解 10題 判断・数的推理（資料解釈を含む）14題
知識分野 6題	自然・人文・社会に関する時事、情報6題

●一般職試験（大卒程度）、専門職試験（大卒程度）

これまで（40題、2時間20分）	
知能分野 27題	文章理解 11題 判断推理 8題 数的推理 5題 資料解釈 3題
知識分野 13題	自然・人文・社会（時事を含む）13題

2024（令和6）年以降（30題、1時間50分）	
知能分野 24題	文章理解 10題 判断推理 7題 数的推理 4題 資料解釈 3題
知識分野 6題	自然・人文・社会に関する時事、情報6題

●経験者採用試験

これまで（30題、2時間20分）	
知能分野 24題	文章理解 8題 判断・数的推理（資料解釈を含む）16題
知識分野 6題	自然・人文・社会（時事を含む）6題

2024（令和6）年以降（30題、2時間20分）	
知能分野 24題	文章理解 10題 判断・数的推理（資料解釈を含む）14題
知識分野 6題	自然・人文・社会に関する時事、情報6題

2．総合職試験（院卒者）「行政区分」と、総合職試験（大卒程度）「政治・国際・人文区分」、「法律区分」、「経済区分」の専門試験（記述式）において、**解答**

題数が3題から2題に削減されました。これに伴い、解答時間がこれまでの4時間から3時間に短縮され、総合職試験全区分の専門試験（記述式）の解答時間が、3時間に短縮されました。

3．高卒程度試験を含むすべての試験の基礎能力試験において、情報に関する問題が出題されることになりました。

③ 一般職（大卒程度）に教養区分が新設

2025（令和7）年度から、一般職（大卒程度）に**教養区分**が新設されます。他区分とは異なり、専門試験に代わって**課題対応能力試験（多肢選択式、マークシート試験）**を行います。**大学3年生（試験年度の4月1日に20歳になっている人）**から受験することができるだけでなく、採用候補者名簿の有効期間が**6年間**なので、採用希望年度については幅を持って選択することが可能です。

④ 裁判所職員（総合・一般）試験の出題の見直し

2024（令和6）年度から、裁判所職員（総合・一般）の**基礎能力試験**において、大卒程度の問題数が**40題から30題に変更**になりました。また、院卒、大卒程度区分ともに、知識分野は**時事問題を中心**として、普段から社会情勢等に関心を持っていれば対応できるような内容になりました。

そして、2025（令和7）年度からは、裁判所職員（総合・一般）の大卒程度区分の**専門試験**において、**多肢選択式**の選択科目が「刑法」「経済理論」に加え「**行政法**」も選択できるようになります。また、「**憲法**」の出題数が**7題から10題**に、「**民法**」の出題数が**13題から10題**に変わります。また、**一般職**においては、**記述式**の「**憲法**」が課されなくなります。

●裁判所職員（総合・一般）大卒程度　専門試験（多肢選択式）

これまで	
必須	憲法7題、民法13題
選択	刑法10題、経済理論10題 （1科目を選択）
合計	30題

2025（令和7）年度以降	
必須	憲法**10**題、民法**10**題
選択	刑法10題、経済理論10題 **行政法10**題（1科目を選択）
合計	30題

なお、国家公務員試験では、今後も試験内容の変更などが行われる可能性があります。最新の情報を、下記の採用情報サイトで確認しておきましょう。

人事院「国家公務員試験採用情報NAVI」
https://www.jinji.go.jp/saiyo.html

Part 1

公務員について知る

1 公務員にも いろいろな**種類**がある

公務員は国家公務員と地方公務員に大別される

公務員とは、国や地方公共団体などで、国民や住民のために働く人のことをいいます。国の機関で働く人は国家公務員、地方公共団体で働く人は地方公務員というように大きく２つに分かれており、公務員としての身分取り扱いに関する法律も**国家公務員法**と**地方公務員法**に分かれています。そして、公務員になるためには原則として**公務員採用試験**に合格しなければなりません。

公務員には特別職と一般職がある

公務員は、仕事の種類によって**特別職**と**一般職**に分かれており、採用後の職務内容に応じた試験が実施されます。国家公務員も地方公務員も同様です。

特別職は、内閣総理大臣や都道府県知事などの行政機関のリーダーがその代表といえます。この職種の人は、採用試験ではなく**選挙によって公務員になる**ので特別職として扱われます。また、裁判官・裁判所職員、国会職員、防衛省職員などは、採用試験により公務員になっていますが、**職務の中立性を担保**する必要があるため特別職として扱われていると考えられます。これら以外の公務員は一般職です。

■公務員の人数

『人事院の進める人事行政について』によれば、令和６年度の全国の公務員の数は約 340 万人で、そのうち国家公務員が約 59 万人、地方公務員が約 281 万人という構成です。

■選挙で選ばれる特別職

知事など、選挙によって選出された特別職の人たちは、一般の公務員とは立場が異なり、その処遇や身分も当然に異なってきます。

たとえば

国家公務員の仕事

①金融庁で銀行の監督
②農林水産省で農村振興
③厚生労働省で結核の感染対策
④国土交通省で道路整備
⑤環境省で地球温暖化対策

地方公務員の仕事

①県庁で地域産業の振興対策
②福祉事務所で障害者支援
③市役所で介護保険事務
④消防官、警察官、教員、栄養士などとして勤務

国家公務員採用試験には仕事の内容に応じた種類がある

国家公務員採用試験は、**総合職、一般職、専門職**に大きく分かれています。総合職は大卒者と大学院卒者を対象として行われるもので、各省庁のいわゆるキャリア職員（上級職員）を採用するための試験です。総合職で採用された人は、いずれは、事務次官や局長クラスといった**幹部職員となる機会が最も多い**といえます。

一般職は､それ以外の職員を採用する試験で､さらに学歴に応じて**大卒程度**と**高卒程度**を対象とするものに分かれています。また､専門職は､皇宮護衛官、刑務官（高卒程度）などがあり、それぞれ大卒程度と高卒程度では試験が異なります。同じ大卒程度でも、総合職、一般職、専門職では、**試験の内容や実施方法は大きく異なります**。（詳しい内容は Part3（p.62～）参照）

■地方公務員試験の種類
都道府県や市町村の地方公務員採用試験においても上級・中級・初級と分類して、国家公務員試験に似た取り扱いが行われています。

■試験区分のない試験
外務省専門職員、労働基準監督官試験のように、試験区分がなく、採用後の仕事内容が明確になっているものもあります。

■ 公務員試験の種類（●印は特別職、○印は一般職、◎印は専門職）■

国家公務員		地方公務員
○国家総合職・一般職 ◎国税専門官 ◎労働基準監督官 ●防衛省専門職員 ●裁判所職員総合職・一般職 ◎法務省専門職員 ◎国立国会図書館職員総合職・一般職　他	大卒程度	○東京都職員Ⅰ類 ○警視庁警察官Ⅰ類 ○都道府県職員上級 ○東京特別区職員Ⅰ類 ○東京消防庁消防官Ⅰ類 ○市町村職員上級　他
○国家一般職 ◎財務専門官 ◎航空管制官　他	短大卒程度	○東京都職員Ⅱ類 ○都道府県職員中級 ○東京消防庁消防官Ⅱ類 ○市町村職員中級　他
○国家一般職 ●参議院事務局職員一般職 ●裁判所職員一般職 ◎刑務官　他	高卒程度	○東京都職員Ⅲ類 ○警視庁警察官Ⅲ類 ○都道府県職員初級 ○東京特別区職員Ⅲ類 ○東京消防庁消防官Ⅲ類 ○市町村職員初級　他

※上記表では主な公務員試験を例として載せた。

2 公務員の職種にはどんなものがあるのか

公務員の仕事は試験区分によって異なる

公務員の仕事は、民間企業において営業職、事務職、技術職などと分かれているように、いくつかに分類することができます。

大きく分けると、**事務職・技術職・公安職・資格職・その他**があります。

事務系の職種

事務系の職種は、国家公務員の場合、財務省での金融行政や厚生労働省での薬事行政などの各機関固有の事務から、すべての機関に共通の総務あるいは庶務的な一般事務まで、幅広い分野にわたっています。国家総合職・一般職の試験区分で、**行政・法律・経済**など、文科系試験区分の採用者が従事します。

地方公務員の場合も、都道府県や市町村の財政部での予算、環境部での温暖化対策などの各部固有の事務から、すべての部に共通する一般事務までにわたります。主に、**行政区分**での採用者が従事します。

技術系の職種

技術系の職種は、建築、土木、化学、農業などの専門の分野の仕事をするもので、大きく**技術行政官**（技官）と**研究官**に分かれます。

■**広報の仕事**

一般企業の営業に近い仕事をしているのが広報です。国や地方自治体の施策や制度などの理解と周知のために働いています。通常は事務職の仕事の範囲です。

■**総合職と一般職の仕事**

総合職試験の採用者は各機関の政策の企画・立案を、一般職試験の採用者は総務・庶務事務をそれぞれ担当する傾向が強いようです。

採用試験詳細
→ Part3（p.62～）

たとえば

技術系職員の仕事内容

- 産業技術総合研究所での新しい工業技術の開発
- 農業試験場での新しい種類の農産物の研究開発
- ダム建設等の予算計画策定　他

技官は、専門の分野においての企画立案を専門の立場から行い、研究官は、そうした企画立案をすすめるために必要となる調査、実験、研究を行っています。

公安系の職種

公安系の職種は、公共の安全をはかることを業務内容にしており、体力や特殊な能力を必要としています。主なものとして、警察官、消防官、刑務官、入国警備官などがあります。**採用試験は職種ごと**に行われています。

資格職

薬剤師が国家公務員一般職の麻薬取締官として働く場合や、栄養士・保育士が公立の保育所や福祉施設で働く場合、採用にあたっては**専門の免許や資格が必要**になります。事務系職種と比べて募集人員が少なく、地方公務員については、自治体によって、毎年試験が実施されるとは限らないので、募集要項を十分に確かめることが必要です。

その他の公務員

国公立学校の教員、警備員、清掃局や公営交通機関（例：東京都営地下鉄など）、水道局などの職員も公務員に該当します。応募資格や募集人員はそれぞれ異なりますので、採用機関に直接問い合わせて事前に確認しておくとよいでしょう。

■技術職も事務系の仕事に携わる

すべての技術職が研究開発業務に携わるのではなく、ダム建設の予算策定は、土木の専門知識が必要になりますので、土木の専門家が事務系の仕事をすることになります。

たとえば

公安系職種の仕事の内容

警察官：犯罪捜査や被疑者の逮捕および犯罪予防

消防官：消火活動や救急隊員による救命活動

入国警備官：出入国の警備など

3 民間企業では味わえない 公務員の魅力

■民間企業と公務員の違い

〈民間企業の特徴〉

1.商品、サービスの企画・開発の喜び
2.市場調査、販売方法の検討などのおもしろさ
3.売上実績の向上による満足感
4.実績に応じた報酬を得られる

〈公務員の特徴〉

1.正確な知識と慎重な対応で人の役に立つ満足感が得られる
2.国や地域社会への貢献という重責を担っていることへの自負心
3.安定した報酬と待遇が保障されている

■国家公務員と国際的業務

国家公務員の場合は、外交官として世界の国の代表者と交渉したり、各国と協力して難民の支援にあたるなど、国際的な業務に携われるという魅力もあります。

公共の利益のために働く公務員

公務員と民間企業の違いとは何でしょうか。決定的に違う点は、公務員は**国民または住民全体の奉仕者**として公共の利益のために働くのに対し、民間企業は自社の利益追求を目的に営利第一主義で事業展開することでしょう。

公務員の場合、直接に利潤を追求するのではなく、国民や住民が納めた税金をいかに**有効に社会や地域の公益に結びつける**ことができるかを目的としている点が大きな特徴といえます。

民間企業の中にも、ガスや電気の供給、鉄道やバスの運行といった公共性のある事業を展開しているところはありますが、原則として利益が出ないことはできません。たとえば、バスを走らせてもらいたい町があっても、利用者があまり見込めない場合には、 採算がとれないためバスを走らせることができません。しかし、地方自治体は、バスがなければ日常生活が不便だという住民の利益を考えて、税金を使って運行するという結論を出すことができます。

公務員になろうとした理由についても、「**公共のために仕事**ができる」「**仕事にやりがい**がある」の２つは５割以上の人が挙げており、利益追求のためではない働き方に公務員の仕事の魅力があることがよくわかります。

不況でも安定した収入が得られる

民間企業は、世間の景気の影響を受けて利益が変動します。不況になれば、利益が減りますので、給与も増えなくなります。手当が減ることもあるでしょう。しかし、公務員の場合は、不況になったからといってすぐに仕事が減るわけではありません。景気がよかろうと悪かろうと国民や住民のための仕事は必要ですので、収入がすぐに影響を受けることはありません。つまり、公務員は民間企業に比べ、**収入面で安定**しているといえます。

■福利厚生も充実

公務員は、住宅手当や家族手当などの各種手当や退職金なども大企業なみに充実しています。また、育児休業なども取りやすいなど、福利厚生面でも魅力があります。

福利厚生の詳細→ p.24

■国家公務員になろうとした主な理由は何ですか。（3つ選択）■

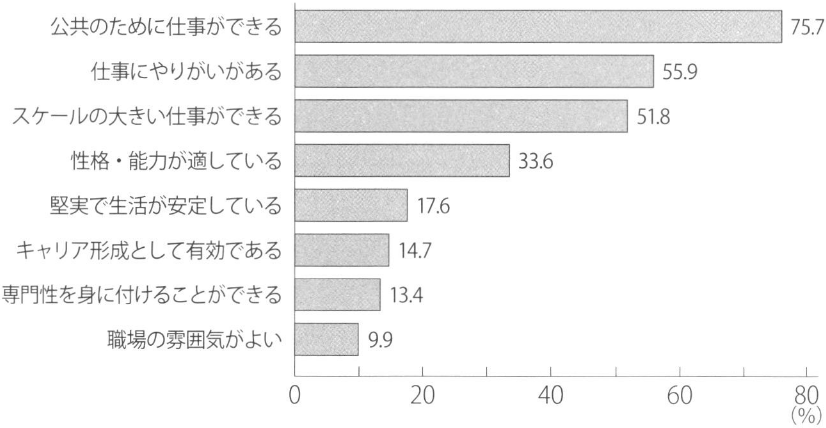

■国家公務員としていつまで働きたいと思いますか。（1つ選択）■

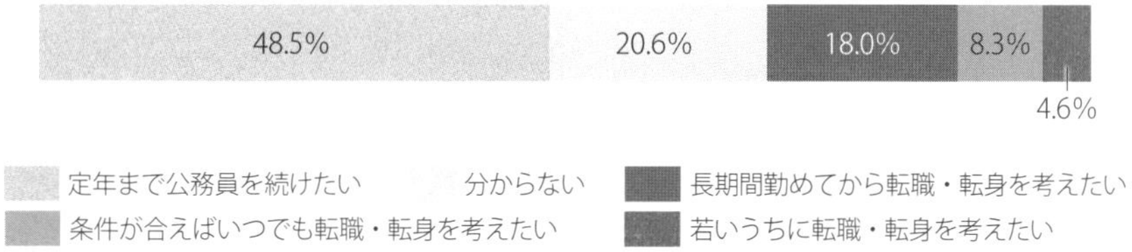

（以上いずれも人事院ホームページ「総合職試験等からの新規採用職員に対するアンケート」より）

4 公務員の**給与の中身**を見てみよう

公務員の給与は恵まれているか

国家公務員の給与（俸給）は、所属する機関ごとに**法律で定められています**。たとえば、財務省や厚生労働省などの中央省庁で事務職として働く総合職と一般職のほか多くの国家公務員は「一般職の職員の給与に関する法律（給与法）」、防衛省職員は「防衛省の職員の給与等に関する法律」、国立国会図書館司書や調査員は「国会職員法」に基づいています。

一方、地方公務員の場合は、各地方自治体の条例に基づいて給与が定められています。

豆知識

●法律と条例

法律は国会で成立するもので国全体に通用する法ですが、条例は地方議会で成立するもので、その自治体のみに通用する法です。

給与は俸給表で定められている

ここでは、採用人数の多い国家公務員一般職を中心に見ていきましょう。

給与は、**俸給**と**諸手当**とで構成されています。俸給は、民間企業の「基本給」に相当するもので、年齢・採用試験の種類・職務の複雑性や困難性を勘案して決定されます。

俸給は**俸給表**という公定の基準で定められており、俸給表は職務内容に応じたものが適用されます（次ページ参照）。そして、俸給表は、係長・課長などの役職を表す「級」と、勤続年数や勤務成績によって決まる「号」によって表されています。

■採用区分による給与の差

原則として、事務系職種での国家総合職（大卒程度）採用者は2級1号俸、一般職（大卒程度）採用者は1級25号俸、一般職（高卒者）採用者は1級5号俸から始まることになっており、採用試験の区分によって給与に差があります。

■ 俸給表の適用範囲 ■

俸給表の種類	適用を受ける職員の範囲
行政職俸給表（一）	他の俸給表の適用を受けないすべての職員（ただし、非常勤職員を除く。）
行政職俸給表（二）	機器の運転操作、庁舎の監視その他の庁務及びこれらに準ずる業務に従事する職員で人事院規則で定めるもの
専門行政職俸給表	植物防疫官、家畜防疫官、特許庁の審査官及び審判官、船舶検査官並びに航空交通管制の業務その他の専門的な知識、技術等を必要とする業務に従事する職員で人事院規則で定めるもの
税務職俸給表	国税庁に勤務し、租税の賦課及び徴収に関する事務等に従事する職員で人事院規則で定めるもの
公安職俸給表（一）	警察官、皇宮護衛官、入国警備官及び刑務所等に勤務する職員で人事院規則で定めるもの
公安職俸給表（二）	検察庁、公安調査庁、少年院、海上保安庁等に勤務する職員で人事院規則で定めるもの
海事職俸給表（一）	遠洋区域又は近海区域を航行区域とする船舶その他人事院の指定する船舶に乗り組む船長、航海士、機関長、機関士等で人事院規則で定めるもの
海事職俸給表（二）	船舶に乗り組む職員（海事職俸給表（一）の適用を受ける者を除く。）で人事院規則で定めるもの
教育職俸給表（一）	大学に準ずる教育施設で人事院の指定するものに勤務し、学生の教育、学生の研究の指導及び研究に係る業務に従事する職員その他の職員で人事院規則で定めるもの
教育職俸給表（二）	高等専門学校に準ずる教育施設で人事院の指定するものに勤務し、職業に必要な技術の教授を行う職員その他の職員で人事院規則で定めるもの
研究職俸給表	試験所、研究所等で人事院の指定するものに勤務し、試験研究又は調査研究業務に従事する職員で人事院規則で定めるもの
医療職俸給表（一）	病院、療養所、診療所等に勤務する医師及び歯科医師で人事院規則で定めるもの
医療職俸給表（二）	病院、療養所、診療所等に勤務する薬剤師、栄養士その他の職員で人事院規則で定めるもの
医療職俸給表（三）	病院、療養所、診療所等に勤務する保健師、助産師、看護師、准看護師その他の職員で人事院規則で定めるもの
福祉職俸給表	障害者支援施設、児童福祉施設等で人事院の指定するものに勤務し、入所者の指導、保育、介護等の業務に従事する職員で人事院規則で定めるもの
専門スタッフ職俸給表	行政の特定の分野における高度の専門的な知識経験に基づく調査、研究、情報の分析等を行うことにより、政策の企画及び立案等を支援する業務に従事する職員で人事院規則で定めるもの
指定職俸給表	事務次官、外局の長、試験所又は研究所の長、病院又は療養所の長その他の官職を占める職員で人事院規則で定めるもの
特定任期付職員俸給表	任期付職員法の規定により任期を定めて採用された職員のうち、高度の専門的な知識経験又は優れた識見を一定の期間活用して遂行することが特に必要とされる業務に従事する職員（特定任期付職員）
任期付研究員俸給表	任期付研究員法の規定により任期を定めて採用された職員

昇給と昇格で給与が上がっていく

国家公務員の給与は、毎年8月上旬頃に出される人事院勧告に基づいて法定されています。令和6年の人事院勧告では、一般職の給与を、月給で平均2.76%（11,183円）、ボーナス（期末・勤勉手当）で0.10月分の引き上げを求めました。

給与は、「号」が上がる**昇給**と、「級」が上がる**昇格**によって増えます。昇給･昇格の決定は、平成21年度より導入された**人事評価制度**による評価結果を活用して定期的に行われており、昇給日は原則として毎年1月1日です。

なお、平成26年に改正された「給与法」では､55歳を超える国家公務員一般職員について、標準の勤務成績での昇給が停止された一方で、若年層に重点をおいて俸給表の水準を引き上げることが盛り込まれました。

充実した諸手当

給与のもう一つの柱に、職員の置かれた状況や職務内容に応じて支払われる諸手当があります。民間企業と同様の**住居手当**、**通勤手当**、**扶養手当**、**超過勤務手当**、危険が伴う職務に対して支払われる**防疫等作業手当**や**放射線取扱手当**、離島など交通の不便な地域に勤務する場合の**特地勤務手当**など充実しています。また、令和6年度より**在宅勤務等手当**が新設されました。

そして、毎年6月1日と12月1日には民間企業のボーナスにあたる**期末手当**や**勤勉手当**が支給されます。

■昇任なき昇格

係長以上では同じ役職でも級は2つに分かれているので、役職は変わらず昇任はしていないが昇格するということがあります。

■人事院と内閣人事局

人事院は、人事行政に関する公正の確保や、労働基本権の制約を受ける国家公務員の利益保護等に関する事務をつかさどる中立・第三者機関として、採用・任免や人事評価、給与等勤務条件についての勧告を行ってきました。平成26年5月、幹部職員人事の一元管理等のために内閣人事局が発足し、人事院と事務を分掌しています。

■人事評価制度

職員の採用年次や合格した採用試験の種類にとらわれず、職員の持つ能力や実績に基づいて人事管理を行うことを目的に導入されました。

■待遇の男女差がない

公務員の給与には男女差もなく、仕事の内容も区別がないので、女性にとっては働きやすい職場といえます。令和6年度の国家公務員の採用者に占める女性の割合は39.2％で、総合職の女性割合は35.7％、技術系区分の割合は28.5%でした。（内閣人事局「女性国家公務員の採用状況のフォローアップ」より）

■主な手当■

地域手当	民間賃金、物価および生計費の特に高い地域に在勤する職員に支給される。
初任給調整手当	病院、診療所などの医療施設や刑務所、拘置所などの矯正施設あるいは検疫所などで医療業務を行う医師や歯科医師で、採用困難と認められる官職には、その職員が勤務する地域によって５つに区分され支給される。
住居手当	賃貸住宅に居住し、一定月額を超える家賃を支払っている職員にのみ支給される。自宅に居住して世帯主である職員（新築・購入後５年以内に限る）は廃止。
通勤手当	通勤に交通機関を利用している職員に、最高限度額を定めて支給される。また、転勤に伴い新幹線などを利用する場合にも一定額が支給される。
扶養手当	配偶者をはじめとする扶養親族について支給される。
単身赴任手当	官署を異にする異動または官署の移転などの事情により、配偶者と別居することになった職員に対して、その費用負担の実情を考慮して支給される。
特殊勤務手当	著しく危険、不快、不健康または困難な勤務などに従事する職員に支給される。
特地勤務手当	離島その他の交通の著しく困難な地域に勤務する職員に対して支給される。
超過勤務手当	正規の勤務時間を超えて勤務することを命じられた職員に支給される。
休日給	休日において正規の勤務時間に勤務することを命じられた職員に対して支給される。
夜勤手当	正規の勤務時間として深夜に勤務することを命じられた職員に対して支給される。
宿日直手当	正規の勤務時間以外の時間に、本来の勤務に従事しないで庁舎、設備の保全、文書の収受などを目的とする勤務を行った場合に支給される。
期末手当	民間企業のボーナスに相当して支給される。
勤勉手当	勤務成績に応じて支給される。
期末・勤勉手当の加算	係長級以上の職員にその職務段階などに応じて支給される。
俸給の特別調整額	人事院規則で指定されている職員に対して支給される。
管理職員特別勤務手当	管理・監督の地位にある職員が週休日等に勤務した場合に支給される。
寒冷地手当	寒冷地域に在勤し、常時勤務に服している職員に対して支給される。
在宅勤務等手当（令和６年度～）	住居その他これに準ずる場所で、一定期間以上継続して１か月あたり 10 日を超えて正規の勤務期間の全部を勤務する職員に支給される。

■ 俸給表別職員数、平均年齢、平均経験年数及び平均給与月額 ■

俸給表	職員数（人）	平均年齢（歳）	平均経験年数（年）	平均給与月額（円）
全俸給表	252,790	42.3	20.4	412,747
行政職俸給表（一）	139,522	42.4	20.3	404,015
行政職俸給表（二）	1,941	51.2	29.4	329,178
専門行政職俸給表	7,896	42.6	20.3	446,205
税務職俸給表	51,474	42.0	20.6	428,330
公安職俸給表（一）	21,965	41.6	20.3	382,749
公安職俸給表（二）	22,987	40.1	18.7	409,111
海事職俸給表（一）	202	42.4	21.2	453,720
海事職俸給表（二）	363	41.0	22.3	371,628
教育職俸給表（一）	93	46.2	21.8	480,515
教育職俸給表（二）	66	49.3	25.3	456,832
研究職俸給表	1,381	46.6	22.9	562,418
医療職俸給表（一）	583	53.5	26.6	839,896
医療職俸給表（二）	485	46.5	20.9	357,899
医療職俸給表（三）	1,825	47.8	22.4	360,574
福祉職俸給表	246	44.2	20.2	387,943

■ 初任給（令和 6 年 4 月現在）■

＊諸手当等は含まない

総合職試験（院卒者試験）	277,720 円
総合職試験（大卒程度試験）	249,640 円
一般職試験（大卒程度試験）	242,640 円
一般職試験（高卒者試験）	207,120 円

〔出典：『国家公務員の給与（令和 6 年版）』内閣官房内閣人事局〕

■ 民間企業の初任給（参考）■

＊諸手当等は含まない

事務系	大　卒	211,094 円
	短大卒	184,336 円
	高　卒	173,442 円

〔出典：『令和 5 年度　年次報告書』 人事院〕

俸給	地域手当等	俸給の特別調整額	扶養手当	住居手当	その他
334,218	43,290	11,994	9,027	6,769	7,449
322,487	43,800	12,688	8,602	7,447	8,991
286,942	27,015		8,800	4,921	1,500
350,552	53,801	12,173	9,139	10,018	10,522
352,263	45,921	13,683	8,265	5,962	2,236
323,004	31,921	6,138	12,906	3,394	5,386
339,218	35,402	9,605	9,984	7,229	7,673
362,350	49,996	14,666	12,418	5,118	9,172
308,157	39,159		11,815	6,057	6,440
423,568	26,976	4,408	15,699	5,671	4,193
393,611	38,033	4,889	10,492	6,415	3,392
405,738	74,909	55,981	10,913	9,496	5,381
511,570	91,859	35,912	10,958	6,266	183,331
313,583	24,281	1,308	8,466	5,823	4,438
321,176	21,326	857	8,536	5,617	3,062
337,885	27,201	5,554	10,240	5,046	2,017

（注）1 職員数は、給与法、任期付研究員法及び任期付職員法が適用される4月1日現在の在職者（新規採用者、再任用職員、休職者、派遣職員（専ら派遣先の業務に従事する職員に限る。）、在外公館勤務者等は含まない。）である。
2 「全俸給表」の「平均経験年数」には、特定任期付職員及び任期付研究員は含まれていない。
3 「俸給」には、俸給の調整額を含む。
4 「地域手当等」には、異動保障による地域手当及び広域異動手当を含む。
5 「その他」は、本府省業務調整手当、単身赴任手当（基礎額）、寒冷地手当、特地勤務手当等である。

〔出典：『令和5年度　年次報告書』 人事院〕

■ 民間企業の給与（参考）■

職種名	調査実人員	平均年齢	平均給与月額
事務係長	28,688人	45.3歳	483,577円（時間外手当60,886円と通勤手当15,608円を含む）
技術係長	23,708人	45.9歳	511,739円（時間外手当78,431円と通勤手当11,056円を含む）

〔出典：『令和5年度　年次報告書』 人事院〕

5 充実度いっぱいの **福利厚生**

■育児休業制度の対象
人事院規則では、3歳未満の子まで育児休業の対象となっています。

■男性の育児休業取得率
男性の公務員（一般職）の育児休業取得率は、平成26年度5.5％、27年度9.5％、そして28年度には14.5%と2ケタ台まで上昇しました。その後、順調に増え続け、令和2年度には51.4％、令和3年度には62.8%、令和4年度には72.5%と初めて7割越えとなりました。

出産・育児も安心の職場

近年はワーク・ライフ・バランスが重視されるようになってきて、仕事と家事・育児・介護を両立させられるように育児休業制度、介護休業制度が法律で定められています。しかし、民間企業では取得することができない人が多いというのが現実です。これに対し、公務員の場合は、制度を利用しやすい環境が整えられており、一般職の国家公務員を対象にした調査によれば、令和4年度の**育児休業の取得率は99.1%**（女性）となっています。

■ 育児休業取得状況（常勤職員）■

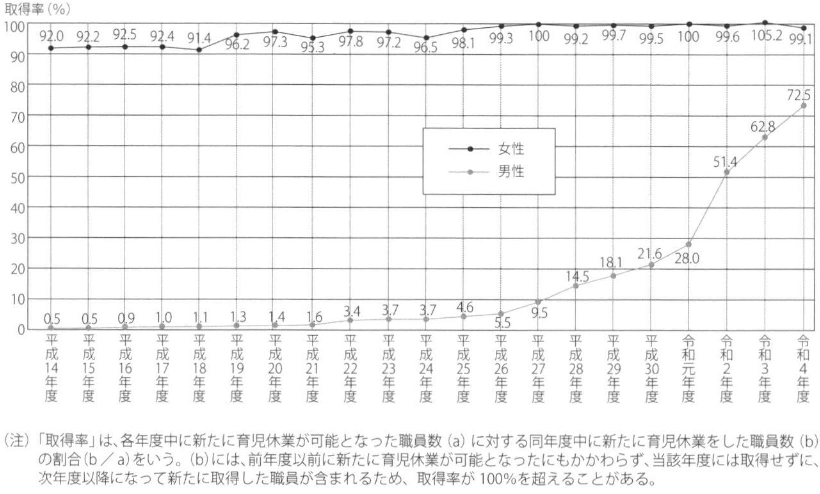

（注）「取得率」は、各年度中に新たに育児休業が可能となった職員数（a）に対する同年度中に新たに育児休業をした職員数（b）の割合（b／a）をいう。（b）には、前年度以前に新たに育児休業が可能となったにもかかわらず、当該年度には取得せずに、次年度以降になって新たに取得した職員が含まれるため、取得率が100%を超えることがある。

〔平成23・27・令和5年度 『年次報告書』（人事院）より作成〕

また、小学校就学前の子どもがいる場合には、**育児短時間勤務や育児時間の取得**などの制度が利用できます。育児短時間勤務は、週19時間25分、19時間35分、23時間15分、24時間35分のいずれかの短時間勤務が認められています。一方、育児時間は、1日に2時間まで育児のために勤務時間を免除する制度です。

2022（令和4）年からは、国家公務員が不妊治療を受ける際、原則年5日の有給休暇を取得できる**出生サポート休暇**が新設されました。そして、2022（令和4）年10月からは、育児休業が原則2回となり、またそれとは別に子の出生後8週間以内に育児休業を2回まで取得可能ないわゆる「産後パパ育休」制度が始まり、より育児休業を取得しやすくなりました。

さらに、公務員の場合、長期休業後に職場復帰しても不利益がないため、令和4年度に育児休業を終えた職員のうち職務に復帰している人は、99.4%と大変高くなっています。**出産・育児を経てもキャリアアップが可能**です。

公務上の災害や通勤による災害は国家公務員災害補償法によって保障される

公務上の事故や通勤途中の災害、ケガをしたり病気にかかったりした場合には、国家公務員災害補償法や地方公務員災害補償法によって、**療養補償**（治療費の支給）、**休業補償**（休職中の給与の支給）、**障害補償**（障害者になった場合の支給）、**遺族補償**（亡くなった場合に遺族に支払われる年金または一時金）などが給付されます。民間企業の場合の労働者災害補償保険法による給付と同様です。

■育児短時間勤務の利用者数

令和4年度に新たにこの制度を活用した職員は、166人で、そのうち26人は男性です。

■男性の育児休業

育児休業は男性も取得しています。人事院の調査によれば、令和4年度における国家公務員（一般職・常勤）で新たに育児休業を取得した職員は6,043人でそのうち男性は4,057人、女性1,986人です。前年度に比べると男性が403人増加している一方、女性は32人減少しています。

■配偶者の海外転勤

配偶者が海外に転勤する場合、国家公務員に原則3年以内の休職が認められています。主に女性の公務員が夫の転勤に伴い離職することを防ぐことが狙いですが、男女とも利用できます。地方公務員にも同様の制度が設けられています。

■警察官の補償は割増される

警察官や自衛官など身体・生命に危険が及ぶような業務においての災害の場合は、補償額は最大1.5倍になります。

■フレックスタイム制と休憩時間制度の柔軟化

人事院では、フレックスタイム制の1日の最短勤務時間数を従来の6時間から2～4時間にするなど勤務時間をより柔軟に設定できるよう、基準が2023（令和5）年4月に改正されました。

共済組合の給付で万が一の場合の備えも充実

公務以外におけるケガや疾病などの災害に関する補償は**共済組合**が行っています。民間企業の健康保険の給付や厚生年金にあたるもので、短期給付の**保健給付・災害給付**、長期給付の**年金**(2015年10月から厚生年金に統一)等があり、万が一の場合も安心です。これらの給付は、国家公務員共済組合法と地方公務員等共済組合法による規定に基づいて行われます。

また、共済組合は福祉事業として、**健康診査**、健康教育、**住宅取得資金の貸付**、介護予防のセミナーなどのサービスの提供や、**病院**、**保養施設**等の運営も行っており、家族も含め**安い料金で利用**することができます。

■共済組合の種類

共済組合には、国家公務員共済組合や地方公務員共済組合、日本私立学校振興・共済事業団、農林漁業団体職員共済組合などがあります。

これらの共済組合は、関連する法律（国家公務員共済組合は国家公務員共済組合法など）に基づき、法人格を有した組合組織となっています。

■共済組合は安心

協会けんぽや健康保険組合の財政状況は依然として悪く、保障内容が減る傾向ですが、共済組合の保障はこれとは別のため保障内容は恵まれています。

■ 共済組合の給付事業 ■

【短期給付事業】 組合員や家族の病気、負傷、出産、死亡、休業、災害などによる不時の出費に対するもので、細かく次の3つに分けられている。	
①保健給付	職員やその家族が病気やケガで医療機関にかかった場合に、経費の一定額を組合が負担するもの。このほかに、出産費、埋葬料なども一定額支給される。
②休業給付	職員が公務以外の病気やケガなどで勤務できない場合、給与の一定額が手当金として支給される。
③災害給付	火災、地震などの非常災害によって職員や家族が死亡した場合、または非常災害によって住居などが損壊した場合に給与の一定割合が支給される。

【長期給付事業】 いわゆる年金制度のことで、次のように大別されている。なお、平成27年10月より共済年金は厚生年金に統一された。	
①老齢給付	原則として、保険料納付済期間等が10年以上の者が65歳に達したときから受給することができる。
②障害給付	組合員である職員が病気などで障害を負ったときに、終身で支給される。
③遺族給付	組合員が在職中に死亡または障害共済年金の受給権者が死亡したときに、その遺族に支給される。

退職手当は、勤続年数により最大約48か月分

国家公務員の場合は「国家公務員退職手当法」で、地方公務員の場合は「条例」で、それぞれ退職手当金額が決められています。

退職理由にもよりますが、勤続45年の場合、最高で**俸給月額のおよそ48か月分**が支給されることになります。

ただし、公務員としての非行があったり、不始末を起こしたりした場合には、退職手当の支給が制限される場合もあります。

なお、国家公務員の退職手当については、2018年より、平均約3%（金額にして約78万円）**減額**されました。この減額の理由は、公務員の退職手当と共済年金の上乗せ分を合わせた退職給付金額が、民間企業の退職金プラス企業年金に比べて約78万円多いという人事院の調査結果に基づくものです。また、2013年より、国家公務員の早期退職募集制度の対象者は45歳以上に広がりました。2023年には2,199人が応募し、認定を受けています。この制度により、**早期退職を促し、職員の年齢別構成の適正化を通じた組織活力の維持等をめざしています。**

■定年の段階的引上げ

早期退職募集制度が行われている一方で、国家公務員法の改正により、これまでの60歳の定年が、2023（令和5）年度より段階的に引き上げられ、最終的に、2031（令和13）年度からは、65歳まで引き上げられます。なお、この場合の60歳以降の給与は7割水準で支給されることになっています。

■国家公務員退職手当支給率の例■

勤続年数	5年	10年	20年	30年	40年
自己都合による退職の場合	2.511	5.022	19.6695	34.7355	44.7795
公務外傷病による退職の場合	4.185	8.37	19.6695	34.7355	44.7795
公務上死亡傷病による退職の場合	6.2775	12.555	26.3655	40.80375	47.709

〔国家公務員退職手当支給率早見表（内閣官房ホームページより）〕

6 公務員を長くつとめれば
取得できる資格

知識と経験で法律系の資格がとれる

不安定な経済情勢の中で、倒産や早期退職の勧告で職を失う人も少なくありません。そうした世相を反映して、現在資格熱が高まっています。資格をとって、**再就職を有利**にすすめたり、自身で**開業**するなどの道が開けるからです。

公務員は、この点でも有利だということは案外知られていないのではないでしょうか。

私たちが雇用保険、健康保険、年金などの給付を受ける場合や、税金の減免をしてもらう場合など、国や地方公共団体の窓口で手続きをする必要があります。簡単なものはその場で説明を受けて自分でできますが、複雑な書類が必要な場合には、社会保険労務士、行政書士、税理士などの専門家に代行を依頼することになります。

公務員の中には、こうした書類を受け付けて各種手続きを行っている人がいます。その場合、代行業務についても相当の専門知識を持っています。そこで、公務員のうち、手続き業務に**一定期間携わった場合に、資格取得**ができたり**試験の一部を免除**する制度があります。

国家公務員の再就職に規制が設けられる中、公務員としての職歴を生かして資格を取得することで、退職後の第二の人生も有利にスタートできるといえます。

■行政書士資格の取得には行政書士会等への申請が必要

公務員がその経歴で行政書士資格を取得する場合、事前に行政書士会等に申請手続きをする必要があります。たとえば、東京都行政書士会では、「行政書士資格事前調査願」「公務員職歴証明書」「証明書」の提出を求めています。なお、懲戒免職の処分を受け、当該処分の日から3年を経過しない者は、行政書士になれません。（行政書士法第2条の2第5号による）

職員から裁判官や検察官になる道がある

裁判官や検察官の職種につくには、司法試験に合格することが必要ですが、最難関試験の一つのため、合格するのは決して容易ではありません。

ところが、司法試験を受けず、**裁判所職員採用試験**で合格して裁判所職員となり、以後、裁判所書記官、簡易裁判所判事というルートを歩むことで**裁判官**への道が開けます。また、**国家一般職採用試験（大卒は行政、高卒は事務）**に合格して検察庁職員となり、検察事務官、副検事、検事という道をたどることで**検察官**になる可能性が広がります。

■検察官になる道

一職員から検察官になるには、さまざまな昇級試験にパスするだけでなく、高い識見と品格が求められるため長期間かかり、裁判官よりも難しいようです。

■海事代理士の資格

海事に関して行政機関等への許認可申請をする専門家が、海事代理士です。行政官庁で海事関係の事務等に 10 年以上従事した場合には、海事代理士の資格を取得することができます。

裁判所職員採用試験
→ p.102、104
国家一般職採用試験
→ p.72、76

■ 資格がとれるもの ■

弁理士	特許庁において審判官または審査官として審判または審査の事務に 7 年以上従事した者
司法書士	裁判所事務官、裁判所書記官、法務事務官もしくは検察事務官として 10 年以上従事した者
行政書士	国または地方公共団体の職員として 20 年（高卒・大卒の場合は 17 年）以上行政事務に従事した者

■ 試験の一部が免除となる資格 ■

税理士	国家公務員（国税に関する事務に従事）の場合	① 10 年または 15 年以上（職務内容によって異なる）の勤務で税法の科目が免除。 ② 23 年以上の勤務、かつ指定の研修を修了で会計学の科目が免除。 ↓ ①と②で全科目が免除される。
	地方公務員（地方税に関する事務に従事）の場合	① 10 年以上、15 年以上、20 年以上の勤務で地方税、あるいは税法の科目が免除（職務内容によって異なる）。 ② 23 年または 28 年以上（職務内容によって異なる）の勤務、かつ指定の研修を修了で会計学の科目が免除。 ↓ ①と②で全科目が免除される。
社会保険労務士		公務員として労働関係、年金関係などの施行事務に従事して 10 年または 15 年以上（職務内容によって異なる）になる者は、一部科目が免除される。

コラム

あこがれの職業につく

● 地下鉄やバスの運転士・車掌

交通機関は公共性の高いものであり、地下鉄やバスは地方自治体が運営しているものが多く、地域の足として利用されています。東京都の場合も都バス、都営地下鉄として親しまれています。

これらの交通機関の運転士、車掌をはじめとする職員は地方公務員ですが、人事委員会が募集するのではなく、担当の部局が直接募集します。東京都の場合であれば交通局が募集をしています。また、電車やバスの整備員、線路などの保守要員も同時に募集しています。

運転士や車掌は、視力などの身体要件があり、バス運転士は大型２種の運転免許が受験資格として必要になります。東京都、熊本市などの都市では路面電車の職員も募集しています。

● 特別救助隊（レスキュー隊）

災害現場でオレンジ色の服で活躍している救助隊をテレビなどの報道で見たことがある人は多いことでしょう。その人たちは、人命救助活動の専門家で、通称「レスキュー隊」と呼ばれています。人命救助に関する高度な知識と専門技術を持ち、特殊な装備を使って、火災、交通事故、自然災害などあらゆる災害の現場で人命救助にあたっています。特別救助隊は、体力、気力、敏捷性などに優れた隊員で消防官のうちから選抜試験により選ばれ、さらに厳しい訓練を受けてなることができます。

全国の市町村にも置かれていますが、大規模災害に備えた救助体制や装備を充実させるために、東京都と政令指定都市には、特別高度救助隊が配置されています。また、山岳救助隊、水難救助隊なども全国で活躍しています。

Part 2

どうやって公務員になるのか

1 公務員に求められる人材とは

協調性と責任感のある人

公務員の仕事は、広く社会のための施策を実現していくものであり、多くの人が長い時間をかけて取り組むことになります。したがって、公務員に最も必要な資質は**協調性**と**責任感**だといえます。そして、市民のために働くにあたっては、多くの人の意見に耳を傾け、施策について伝えることができる**コミュニケーション能力**も求められます。

また、公務員は**国民全体の奉仕者**として働くことが求められています。時には、利害の異なる人々の間に立って迷うことや、予期しない出来事に対応しなくてはいけないこともあるでしょう。そのような場合にもあきらめず、社会のためにやりぬく**責任感**と**創造性**も公務員には必要です。市民は時代に合った提案のできる責任感のある公務員であればこそ、信頼して自分たちのために働いてもらいたいと思うのです。

市民に安心感を与えられる人

公務員は、広く一般市民のための仕事をするので、いろいろな考え方を持った人を相手にすることになります。そうした不特定多数の人に安心してまかせてもらって初めて仕事を順調にすすめることができます。そのためには、市民

■公務員の責任と不祥事

最近では、公務員の不祥事がたびたび報道されていますが、これは一部の人であって、すべての公務員に該当するわけではありません。

公務員への期待と責任が大きいだけに、周囲に与える影響も大きいのが公務員という職業であることを、しっかりと肝に銘じる必要があります。常に国民や市民の立場に基本を置いて、国民や市民の期待に応え、その責任を果たさなければなりません。

に与える印象も重要です。昔の「お上」のような存在ではなく、一般市民と同じ目線で仕事をしなければ、現代の公務員とはいえません。

また、**言葉づかい**、**身だしなみ**、**態度**などは節度を保ち、初めて会った相手に、「この人なら大丈夫だ」という安心感を与えられるようにすることが求められます。

バランス感覚のある人

仕事をする上で、自分は何ができるのか、今すべきことは何かということを考える**向上心**と、目標に向かって力を尽くす**情熱**と**行動力**を持つ人が望まれるのは、民間企業と同じです。そして、**勤勉**であることも大事です。

しかし、公務員の場合は民間企業のように競争に勝つことや自分の会社の利益を多くすることが目的ではありません。社会全体の奉仕者なのですから、多くの人の立場を理解し、社会全体にとって必要なことは何かという公益性を慎重に考え、しかも速やかに適切な措置を講じる必要があります。そうした**バランス感覚**が重要です。税金で給与をもらっている公務員の行動を、多くの人が厳しい目で見ていることを忘れずに行動しなければならないということです。

■市民の声に応える

最近は、国民は官公署に対して積極的なアプローチをしてきています。もし、不平や不満があった場合は、住民監査請求や公文書の開示請求をするケースもあります。

公務員に対して、より充実した住民サービスを求める声が大きくなってきていることの証といえます。

■人事院公務員研修所での研修

人事院公務員研修所では、国民全体の奉仕者としての使命感の向上や、国民全体の視点に立った施策実施のための資質・能力向上等をめざして公務員の研修が行われています。

■ 求められる人材像とは（東京都職員採用サイトより）■

- ○ 高い志と豊かな感性を持った人材
- ○ 進取の気性に富み、自ら課題を見つけ、進んで行動する力を持った人材
- ○ 都民から信頼され、協力して仕事を進める力を持った人材
- ○ 困難な状況に立ち向かい、自ら道を切り拓く力を持った人材

2 国家公務員の仕事と適性を見てみよう

注意

ここでいう適性とは

適性といっても、能力や資格のことではありません。どんなタイプの人が公務員に向いているのかということです。ここでの適性とは、志望する仕事についてどのような心構えが必要かという意味で使っています。

■企画立案業務

自己が所属する省庁の業務を推しすすめるために、何を優先して行っていくべきかといった方向性を整理し、計画を策定するもので、仕事をする上での設計図の役割をはたしています。

■総合職の幹部への道のり

国家公務員試験総合職合格者は、多くの場合、本省での勤務後、本省と出先機関での勤務を交互に繰り返します。時には、地方自治体への出向もあります。やがて本省に戻り、最高幹部への道を歩んでいくのがおおかたの道筋です。

国家総合職にはリーダーシップをとれる力と人間としての魅力が必要

国家総合職は、中央省庁の幹部候補として、行政の中枢を担う仕事に従事しており、**政策の企画立案業務**、**法案の作成**、**予算編成**などに携わっています。その仕事は、日本の将来像を明確にし、国民の真の幸せにつながる制度を生み出し、必要であれば社会のシステム自体を変革する場合もあります。国家総合職には、そういった仕事にやりがいと魅力を感じられる人が向いています。

国家総合職は、将来的には各省庁のリーダーとなり、指揮命令を下す地位に立つことが期待されているため、**冷静で的確な判断能力**や、時節に合わせた行動を選択できる**柔軟性のある思考力**さらには**人間としての魅力**を持っていることが大切です。また、リーダーとしての幅広い見識を身につけるために、早くから幹部養成コースを歩み、人事異動を繰り返しながら多彩な職務を経験することになりますので、人一倍強い**知的好奇心**や人との**協調性**の両面を持った人のほうが仕事に前向きに取り組んでいけるでしょう。

国家一般職には的確な事務処理能力と知識欲が必要

国家一般職（大卒程度）は、各省庁の中堅幹部候補生として位置づけられており、国家総合職が手がける政策の企画立案を支えることになるため、**的確な事務処理能力**が必要です。

一つの政策を実施する場合には、さまざまな調査を行い、その結果を分析し、政策の目的を達成するためにどうすればよいのかという観点から政策を検討し、実現に向けた業務を確実に遂行しなければなりません。

採用後は、希望する省庁に入り、通常はその省庁内での異動のみですので、自分の**専門分野の仕事を極め**、制度や事業の推進に携わります。また、どの省庁においても必要となるゼネラリスト的な業務として、許認可事務や国会対応、審議会の運営などの業務を行う場合もあります。どちらの場合も専門分野のスキルを磨き続ける**高い知識欲と向上心**のほか、さまざまな業務に対応できる**柔軟性**も必要となります。

専門職には専門性を生かそうとする意欲が必要

各省庁が独自に試験を実施し採用する専門職の公務員がいます。専門職には、法務省専門職員、外務省専門職員、防衛省専門職員、国税専門官、裁判所職員などがあります。

専門職員には、その省庁の仕事特有の**高い専門性**とその**スキルを生かそうとする意欲**が必要とされるので、職種によって適性は異なります。法務省専門職員であれば、法律についての緻《ち》密《みつ》な判断力が必要ですし、外務省専門職員の場合は、外国語の能力や国際的な視野が求められます。自分の希望とマッチする職種に採用されれば、やりがいもあり、大きな成果につながる仕事ができるでしょう。

たとえば

法務省専門職員の専門性

法務省専門職員には、矯正心理専門職、法務教官、保護観察官があります。いずれも、犯罪を犯した人や非行少年のための業務に従事しますので、犯罪者の心理などについての知識と、思いやりと公平な態度などが必要です。

たとえば

裁判所職員の専門性

裁判所職員には、家庭裁判所調査官、裁判所書記官、裁判所事務官などがあります。裁判所において、調査、調書作成、裁判事務などの業務に従事します。法律についての詳しい知識が必要です。

3 地方公務員の仕事と適性を見てみよう

地域密着型の仕事をする地方公務員

国家公務員の仕事は、国の施策をどうすべきかを考え実行するものです。これに対し、地方公務員の仕事は地域の住民の要望・苦情といった身近な声を行政に反映させ、住民のよりよい暮らしを実現するという地域に密着した仕事です。

具体的な内容は、治安や消防、水道や交通などのライフライン、教育や文化事業など地域の生活全般にわたります。勤務場所も役所だけではなく、公立の学校、病院、図書館、福祉施設、上下水道施設、清掃施設などさまざまです。地方公務員の仕事は、一般行政職にあたる**事務職**、**技術職**、**公安職**、**資格職**に区分することができます。

■近年求められる地方行政

現在、地方行政の重要な役割として次のものが挙げられます。

1. 地域活性化事業および地場産業の活性化
2. 教育
3. 都市計画

いずれも「地域力」を底上げするためには欠かすことができず、村おこしや町づくりに効果的な要素として各地方自治体で力を入れています。

事務職には地域住民とのコミュニケーション力が必要

事務職の人は、都市計画・社会福祉・農林水産業の振興など、地域住民の福祉増進のための業務に携わります。仕事の内容としては、施策の企画・立案や予算編成を行いながら、実際の業務までを行い、**一つの業務にトータルに関わっています**。近年では、地域活性化の要《かなめ》となる地域企業の保護・育成に関する仕事が重要性を増してきており、いかにして地域を盛り上げるかといった大きな課題に取り組んでいます。

■地場産業活性化の必要性

地域を盛り上げるためには、地場産業を活性化させることが大切です。仮に地場の企業が相次いで倒産するような事態になると、雇用機会の不足や法人税の減少などといった事態につながります。行政では、地場産業への資金面の支援はもちろんのこと、研究開発分野での協力も必要です。

こういった業務につく人には、地域が抱える問題をすくいとることのできる**視野の広さ**、それを解決する**企画力**、そして何より地域住民の声を行政に生かすための**コミュニケーション力**とその**地域への愛着心**が必要です。

また、事務職には、総務・人事に関する業務を取り扱う財政課や人事課、広報・観光事業に取り組む広報課もあり、役所の「顔」となる窓口などで活躍し、**地域住民との密な交流**を仕事に生かそうとする意欲や、**地域のよりよい発展**のために働く意志を持った人が求められます。

●広報業務では、豊かな発想力が必要

地方自治体では、地域の活性化事業に力を入れています。そこで必要になるのが我が町の良さを宣伝する広報業務です。広報業務では、住民の生活を**観察・分析する力**と、施策を多くの人にわかりやすく伝える方法を考える**豊かな発想力**が必要です。

●社会教育関連業務ではコーディネート力が必要

生涯教育も一般職の業務です。専門知識を持つ公務員が直接、公民館などで講師を務める場合もありますし、いろいろな学びの場を提供する業務も行います。講師、場所や時間の設定、住民への周知など、いろいろな人との交渉を重ねながら実現する**コーディネート力**が必要です。

■地方公務員の主な仕事内容：事務職■

- 総務･人事に関する業務（財政、法制、経理、職員人事など）
- 各種窓口業務（戸籍業務、年金、保険、税務）
- 広報・観光事業に関する業務
- 教育・福祉の実施に関する業務

たとえば

東京都のアピール

東京都は、社会全体で子供を大切にする機運を醸成しようと、幅広い主体の連携により戦略的にムーブメントを展開する「こどもスマイルムーブメント」に取り組んでいます。東京都、市区町村、大学・学校、経済団体、企業、労働団体、NPO、著名人等が参画して、多様なノウハウや斬新なアイデアを生かし子ども目線に立ったさまざまなアクションを起こし、それらをSNS等の活用で子供・若者・子育て世代に効果的に発信することで、気運の高まりを加速させています。

このような、さまざまな顔を持つ「我が町の良さ」を、いろいろなメディアを通してアピールしていくことも公務員の広報業務です。

技術職の仕事と適性

地方公務員の技術職は、土木職、建築職、機械職などに区分されています。仕事内容としては、建築物・道路等の建設や維持管理をはじめとする現場での作業、地元企業や事業者への指導、試験・研究などがあります。農業が盛んな地域では、品種改良などの開発研究をしたり、漁業が盛んな地域では、養殖の技術の開発研究をすることもあります。

企業で働くのとは異なり、地域全体のためを考えてトータルに携わることができるので、地域全体の振興に一役買いたいという**やりがいを求める人**、技術を生かして住民に**喜ばれる仕事をしたい人**に向いています。

公安職の仕事には精神力と体力が必要

公安職は治安の維持に従事する公務員で、警察官、消防官、救急隊員などがあります。

警察官は犯罪の解決と防止、消防官は火災その他の災害の解決と防止、救急隊員は突然の病気やケガで緊急な対応が必要な場合の救助活動をその業務としています。いずれも、人命に関わる仕事であるため、強い**責任感**と**使命感**が求められ、それに耐えるだけの**精神力**が必要です。

また、自らの体を使って危険な場面で活動することも多いため、肉体的にもハードです。したがって、**体力的な資質**が必要です。また、時には、自らの命をかけて業務を行うことにもなる職業なので、強い**正義感**を有することも重要です。

■ 国家公務員の公安職
国家公務員のうち、法務教官、刑務官、海上保安官、入国警備官などの専門職は公安職にあたります。

■公安職では体力検査がある
公安職では、筆記試験のほかに、上体起こし、腕立て伏せ、反復横跳びなどの種目についての体力検査があります。一定の基準に達しない場合には合格できません。

●警察官の仕事と適性

警察官採用試験の合格者は、都道府県警察本部に採用され、警察学校での訓練修了後に交番勤務となり、警察官としての資質を磨いていきます。交番は、地域住民が警察官と接する「窓口」のような存在です。道案内や落とし物、捜し物の処理、けんかや揉《も》め事の仲裁など、地域住民のさまざまなニーズに応えることが求められます。交番勤務で**日常的なトラブルに対応できる力**を養った後は、犯罪捜査、防犯、交通事故の防止や取り締まりなど、より**複雑なトラブルに対応する業務**につくことになります。

近年、犯罪の国際化、高齢者の増加、技術のハイテク化による犯罪の多様化が進み、警察を取り巻く環境も複雑になっています。そのために、**外国語の能力**や、**コンピュータによる分析力**なども必要になってきています。

■ 警察学校での訓練

警察官として採用されると、各都道府県の警察学校に入学します。そこで、警察官としての心構え、必要な知識や技能を習得し、柔道、剣道、その他の訓練を受けます。また、刑事訴訟法などの法律についても勉強します。

●消防官の仕事と適性

消防官採用試験の合格者は、市町村の消防局に採用され、消防学校に入学し、卒業後は地域の消防署において消火・救急、防災などを行う第一線の消防官として活躍します。

消防官の仕事は、命に直接関わる仕事です。迅速かつ機敏な行動のできる**冷静な判断力**や物《もの》怖《お》じせずに救助活動にあたる**強い精神力**が求められますが、人々の生活の安全を守る、やりがいのある仕事です。**熱意**と**職業意識**をしっかり持ち日々の鍛錬を怠らない人が求められます。

消防・救急の仕事においても、医学・薬学、放射性物質、毒物・劇物などについての**特殊な知識**も必要になってきています。

■ 消防学校での生活

消防学校では、消防活動に必要な知識などを講義や訓練によって学習します。具体的には、講義では公務員倫理、消防法、建築、化学などを学び、実際の訓練では消火活動、救助活動、救急などについて学びます。消防学校の規律は厳しく設定されており、学校で学んでいる期間中も公務員としてのきちんとした自覚が必要とされます。

■ レスキュー隊員

消防官としての経験を積んだのち、試験を受けてなることができます。災害などの厳しい現場で人命救助に携わります（→ p.30）。

資格職は、得意な分野の知識が生かせる

地方公務員の試験では、一定の資格を持つ人を対象として行われる採用試験があります。多いのは、**保育士**、**栄養士**、**臨床検査技師**などです。最近では、**福祉職**の試験もあります。採用人数は少ないですが、自分の**得意とする分野の知識を役立てることができる**ため、やりがいを持って仕事に取り組むことができます。

●保育士

現在、少子化が問題となっており、国も地方自治体も、子育て支援には力を入れているため、保育士はこれから必要とされる職種です。子どもへの対応だけではなく、**保護者とのコミュニケーション能力**も求められます。

保育士は、大学、短期大学、専門学校などの養成施設を卒業して資格を取るか、都道府県知事が実施する保育士試験に合格することで資格を取ることができます。

●栄養士・管理栄養士

公立の病院や、保育所、児童養護施設、特別養護老人ホーム、学校など、食事を提供する施設で働きます。食べる人に応じて栄養のバランスのとれた献立を考え、材料の手配や調理方法なども考えます。**栄養に関する知識**と同時に、**地場の材料や食育に関する知識**も必要です。

栄養士は、大学、短期大学、専門学校などの養成施設を卒業することで資格を取ることができます。通信教育や夜間部などはありません。管理栄養士は、管理栄養士国家試験に合格することで資格を取得することができます。

■自治体で活躍する法曹有資格者

近年では、地方自治体において、弁護士など法曹の資格を持った職員が登用されるケースが徐々に増えてきています。

■医療職も採用が多い

ここで取り上げている職種以外では、看護師、保健師、薬剤師などの医療職について採用試験が実施されている自治体が多くみられます。

■保育士の職場

保育士は、保育所だけではなく、児童館、児童養護施設、乳児院、病院の小児病棟や、障害児施設などでも活躍しており、毎年、全国の多くの地方自治体が採用しています。

●臨床検査技師

病院や保健所などで、血液、尿、便などの検査をしたり、心電図、エコーなどの機器を操作して検査を行います。検査は地味で緻密さが必要とされます。**粘り強く、正確に仕事をやり遂げる能力**が求められます。

短期大学や専門学校などの養成施設を卒業して国家試験に合格すれば資格が得られます。

●心理職

児童相談所、障害者施設などで、面談や心理テストを行って心理判定業務、相談業務などを行います。児童虐待や家庭内暴力、高齢者虐待などの対応のために必要とされる職種で、大学で心理関係の単位を修得していることが必要です。

●福祉職

公務員試験の福祉職で採用された人は、児童福祉、高齢者福祉、障害者福祉、失業対策に関係する施設その他で、相談業務などを行います。大学で**福祉に関する単位を修得した人**や、**社会福祉士の資格を持っている人**に受験資格がある場合が多くなっています。

その他の公務員

いわゆる公務員試験とは別に、地方自治体の各部局が直接募集をして採用する職種として公民館・図書館等の施設の職員、清掃局の職員、水道局の職員、交通局の職員などがあります。地方自治体の広報紙などで募集告知をしていることが多いようです。多くの人に公民館など公共施設を**気持ちよく利用してもらいたいという気持ち**を持つことのできる人が望まれます。

■運転士は技術習得が必要

交通局では、運転士になる人も採用していますが、実際に運転士になるには、運転の技術の習得などの訓練を受けてからになります。

4 公務員試験、何を**基準**に受けたらよいか

フィールドで選ぶ

国家公務員と地方公務員は働くフィールドが違います。国家公務員の場合、国際化社会におけるこれからの日本の役割を考えた施策、環境問題をはじめとする地球規模での施策など、日本国民のためだけでなく、**全世界の人のために働く**ことになりますので、大きな使命を持つことになり、**責任も重く難しい仕事**が多くなります。しかし、**大きなやりがい**を感じる仕事をやりたいなら、国家公務員でしょう。

一方、特定の地域住民のために活動するのが地方公務員です。地方分権化が進み、これまで国家に依存していた地方行政は、それぞれの地域に応じたものへと転換する時期を迎えています。地方公務員の役割はますます重要になっていくことが考えられます。より**身近なところで手ごたえを感じる仕事**を選びたいなら、地方公務員といえるでしょう。

将来、幹部として仕事をしたい人は

将来、**幹部として働きたい**という意欲があり、**責任ある仕事を任されるほど力が発揮できる**という人は、国家公務員ならば総合職試験、地方公務員ならば上級試験を受ける必要があります。どちらも、**試験の難度が高く**、合格するた

たとえば

国連で働く国際公務員

国家公務員総合職、一般職（大卒程度）で採用され、国連に出向して、日本よりさらに広いフィールドである世界の中で活躍する公務員がいます。国連の専門機関である国際労働機関（ILO）、国連教育科学文化機関（UNESCO）、世界保健機関（WHO）などで働き、世界の平和に貢献しています。

■体力も求められる幹部職員

幹部職員として採用された場合は、かなりの量の仕事をこなさなければなりません。学力はもちろんのこと、体力もつけておくことが大切です。

めには相当の準備をしなければなりません。そのための試験対策なども入念に行い、十分な準備をして臨むことが必要です。

自分の得意分野を生かしたい人は

何か一つの分野に関心があって、その**エキスパートをめざしたい**という場合は、各省庁が実施している専門職の試験を受けるとよいでしょう。

たとえば、国税専門官や労働基準監督官は、大学等で会計学や労働基準法などを学び、その専門知識を生かして公務員になりたいという人に最適の職種です。国税庁で国税の徴収や査察、労働基準監督署などで、労働者保護等のためのエキスパートとして業務につきますので、**その分野の第一線で働く**ことができます。

そのほか、裁判所職員総合職・一般職は、法学部出身で、法律に関係する仕事につきたいと考えている人に向いています。また、国立国会図書館総合職・一般職は、本が何より好きという人には最適です。ただし、いずれも募集人数が限られており試験の難度も高いので、十分な準備が必要です。専門職の試験とほかの一般職の試験を併願する場合は、**試験科目の特性を考えて選ぶ**ようにするとよいでしょう。

■地方公務員は区分で選ぶ
地方公務員では、各部署での専門職を募集してはいないので、専門分野を考えて区分を選ぶとよいでしょう。

国の治安や国民の生命を守りたい人は

国民の生命や財産を直接的に守りたいという正義感あふれる人には公安職が向いています。

国家公務員では、海上保安官、刑務官、入国警備官、麻薬取締官などがあります。麻薬取締

■麻薬取締官になるには
麻薬取締官は、公安職ですがほかの専門官とは異なり、独自の採用試験があるわけではありません。国家公務員一般職の「行政」「デジタル・電気・電子」区分で合格した人や、薬剤師国家試験合格者の中から、採用されることになります。

官以外は、各省庁の実施する専門官の試験を受けます。地方公務員では、警察官・消防官があります。採用試験は独立して実施されています。公安職の場合は、他の公務員試験と異なり、**体力検査**や**身体検査**、**身体的要件**があるので注意してください。

研究・開発分野に進みたい人は

理工系の大学や大学院で学んだ専門知識を生かしたいという場合には、技術の研究・開発の分野に進む道があります。その場合は、技術系の区分の試験を受けましょう。採用後に研究機関で働くことができます。区分は細かく設定されていますので、**自分の研究したい分野を選ぶ**ことができます。職員の数は文科系に比べて格段に多く、職種においても国家公務員・地方公務員ともにおよそ10種類におよびます。

免許や資格を生かしたい人は

薬剤師、保育士、栄養士、臨床検査技師、社会福祉士、公認心理師などの資格を持っている人は、地方公務員で行われている資格職の採用試験を受験するとよいでしょう。

試験科目は教養試験のほか、専門試験がありますが、保持している免許や資格に関する分野なので、受験しやすいのではないでしょうか。ただし、受験する人はみな有資格者ですから、まわりの人も知識は豊富でしょう。ちょっとしたミスが合否に大きく影響することが考えられます。そういう意味では、**教養試験対策が重要**になるでしょう。

■警察官、消防官の身体的要件

多くの場合、一定の身長、体重がなければ試験を受けることができません。また、試験では、上体起こし、腕立て伏せ、腹筋、握力などの体力検査が行われます。
身体的要件の例（→ p.53）

たとえば

国の研究・関連機関の例

内閣府：経済社会総合研究所、国立公文書館
総務省：情報通信政策研究所、統計センター
財務省：財務総合政策研究所、輸出入・港湾関連情報処理センター株式会社
文部科学省：国立教育政策研究所、国立科学博物館
厚生労働省：国立社会保障・人口問題研究所、国立感染症研究所
農林水産省：農林水産政策研究所、家畜改良センター
経済産業省：経済産業研究所、日本貿易振興機構
国土交通省：国土技術政策総合研究所
環境省：国立環境研究所、生物多様性センター
気象庁：気象衛星センター

たとえば

地方公務員の研究機関

産業技術総合センター、工業技術研究所、衛生研究所、防災センター、環境整備センターなど、さまざまな名称で、それぞれの自治体に必要な事業のための研究が行われています。

専門試験が苦手な人は

事務系の職種で受験したいが、専門試験は苦手という人は、専門試験の課されない公務員試験を探すのも一つの方法です。

たとえば、横浜市の事務の区分は、教養、論文、面談、面接という受験科目で、専門試験がありません。また、警察事務でも、専門試験がない試験区分がある都道府県もあります。

長時間通勤や転勤はいやという人は

国家公務員の場合、首都圏に勤務することになると、どうしても通勤時間が長くなります。また、国家総合職などは全国に転勤する可能性もあります。長時間通勤や転勤は避けたいという人には、居住地や出身地の市・区役所、町村役場の職員が適しています。

通勤も徒歩や自転車でできる範囲の場合が多く、**転勤の範囲も限定**されていますので転居をする必要などもありません。

■ **警察事務の仕事**

犯罪捜査や交通指導取り締まりなどは警察官が行いますが、警察署における業務の企画・立案や、どの部署でも必要となる総務・経理の仕事は、警察事務の試験で採用された職員が行います。

■ **転勤のない国家公務員**

会計検査院のように、都内1か所にしか設置されておらず、出先機関もない場合には、原則として転勤はありません。

■ 選択の基準表 ■

基　準	選択する試験
フィールドの違い	国家公務員または地方公務員
幹部候補の試験	国家総合職試験をはじめとする各大卒程度公務員試験、地方公務員の場合は大卒程度の上級試験
エキスパートになりたい	国税専門官、労働基準監督官、裁判所職員、国立国会図書館職員など
国民の生命を守る	警察官、消防官、入国警備官、海上保安官など
研究・開発に携わる	国家公務員または地方公務員の技術職
免許や資格を生かす	薬剤師、保育士など、地方公務員試験で実施される資格職試験
専門試験のない大卒程度の試験	横浜市職員上級（事務）、愛知県警察職員（行政Ⅱ）など

5 受験申込みから採用までの道のり

情報を収集してめざす試験を決めよう

公務員といっても、国家公務員と地方公務員という大きな種類の違いのほか、採用後の仕事の種類、待遇、受験資格、試験の内容などさまざまな違いがあります。出願の前に、自分が**どういう仕事がしたいのか**を決め、その試験の**受験資格が自分にあるのか**を確認しなければなりません。

そのためには、**情報収集**が必要です。各省庁や、県庁、市役所などでは、公務員を志望する人を対象に説明会、講演会、オープンゼミ、ワークショップなどを実施しているので、それらを利用して情報を収集し、自分の希望や能力が生かせる職種を探しましょう。

試験日程を確かめて受験案内を入手しよう

受験する試験が決まったら、国家公務員の場合は**人事院のホームページ**や官報、地方公務員の場合は**人事委員会のホームページ**や広報などで、受験案内の配布開始の時期、受験申込みの受付期間、試験日、合格発表の日などを確認しましょう。そして、**受験案内**を早めに入手してください。

受験案内は受験申込み受付期間の２か月ほど前から配布されますが、現在、国家公務員、地

知っとく

●試験科目も考慮しよう

公務員試験の科目は、少しずつ違いがあります。複数の公務員試験を受験する場合には、試験案内をよく調べて、共通する試験科目があるものを選ぶと試験勉強がしやすくなります。迷った時は、そうした条件から決めるのも一つの方法です。

豆知識

●ワークショップ

体験型講座、あるいは参加型の学習形式のこと。参加者が、数人のグループに分かれて、与えられた課題について討議をして、報告書をまとめるなどの形式で行われることが多くなっています。

■国家公務員試験採用情報 NAVI

人事院による国家公務員の採用試験情報が集約されているサイトで、重要な情報も掲載されていますので、定期的にチェックしましょう。必要な書類などもここからダウンロードできます。

方公務員ともに、受験申込みはインターネット上で行うことが原則で、**受験案内はホームページからダウンロード**できます。日程のチェックのほか、インターネット申込みの方法を説明するページもよく読んでおく必要があります。

受験申込みはインターネットで行う

公務員試験のインターネット申込みには、事前に自分の使っているパソコンが**手続き可能な利用環境かどうか**を確認しておく必要があります。受験申込みの説明のページでチェックできますので、早めに済ませ、環境を整えましょう。

申込み受付期間になったら、まず、**事前登録**をします。事前登録完了通知メールが届けば事前の手続きは終わりです。その後、申込みのためのデータを入力し、申込み受付完了通知メールが届いたら申込みは完了です。

続いて、受験票発行期間になったら、受験票発行通知メールが届きますので、すぐに**受験票をダウンロード**してください。ダウンロードできる期間は**10日前後**に限られていますので、受信したらすぐに処理しましょう。受験票を印刷し、写真を添付して指示通りに作成し、試験当日に持参します。**受験申込みの受付期間は1週間から2週間と短い**ので気をつけましょう。

■インターネット申込みの受付期間の例■

国家公務員大卒程度・院卒者	20日間程度
国家公務員高卒程度	10日間程度
地方公務員上級・初級	10日間〜2週間程度

知っとく

●とにかく受験案内はダウンロードしておく

受験するかどうか決めかねているような場合は、ひとまず、受験案内だけでもダウンロードして、すぐに手続きできるように準備しておくと安心です。

■電話で直接問い合わせる

自分の受験資格のことなど不明点があれば、思い切って直接電話で確認しましょう。直接やりとりをすることは、面接試験を受けるときの練習にもなります。

■郵送・持参の申込み

インターネットを利用できる環境にない場合には、郵送・持参で手続きをすることもできますが、受験案内の送料は自己負担となります。また、受付期間が5日程度しかない試験もあるので、注意が必要です。

なお、専門職などの試験では、インターネットと同時に、郵送・持参の方法で行っているものもあります。

1次試験と2次試験を突破しよう

1次試験は、どの職種、区分でもいわゆる学科試験が実施されます。国家総合職の大学院卒の場合は、専門科目に討論などが含まれ、国家公務員や地方公務員の技術職の場合は、記述式問題なども実施されますが、その他は**択一式**です。

1次試験の合格発表のあと、合格者だけが2次試験を受けます。2次試験では、ほとんどの職種、区分で、**人物試験**と呼ばれる面接試験が行われます。また、**論文試験・作文試験、性格検査・適性検査**などが行われます。論文・作文試験は時間内に指定された文字数で与えられた課題についての論文・作文を書きます。自分の考えを伝えられる文章が書けるように準備しておきましょう。

なお、国家公務員の総合職と大卒一般職の1次試験合格者には、2次試験の前に、業務内容などを紹介する省庁合同の説明会が行われます。参加・不参加は合否に影響ないですが、志望省庁の選定のためにも参加しておきましょう。

合格したら採用候補者名簿に登載される

公務員試験に合格すると、**採用候補者名簿**に登載されます。成績順に登載されるので、原則として**上位の者から採用**されます。

国家公務員の総合職と大卒一般職の場合は、登載後、自分の希望する**省庁を訪問して面接を受け**、仕事の内容について勉強しながら、自分の希望を伝え自分をアピールします。各省庁の

知っとく

●試験では不得意はとばす
試験では、不得意な問題はとばして、時間が余ったらもう一度戻って解くというようにして、時間を有効に使うようにしましょう。

■検査はあせらずに取り組む
性格検査や適性検査は、作業のような検査なので、つい早く終わったほうがよいと思いがちですが、早くできればよいというわけではないので、あせらずに取り組みましょう。

採用人数は限られていますので、どの省庁からも採用してもらえない場合や、自分の希望の省庁に採用してもらえないという場合もあります。その場合は、翌年もう一度試験を受け直して、名簿の上位に登載されるように頑張るという方法もあります。

　地方公務員の場合も、最終合格者は名簿に登載され、その後に内定通知が届いて採用という形式ですが、通常、最終合格した人は採用されます。

■官庁訪問のタイミング

　2024年度の国家公務員試験では、一般職は、1次試験合格発表後に官庁訪問が行われましたが、総合職は、最終合格発表後に行われました。それぞれルールがあるので、人事院のホームページで確認しましょう。なお、一般職の高卒程度は、地域や省庁によりますが、1次試験後に行われるのが一般的です。

■受験申込みから採用までの流れ（大卒程度一般職の例）■

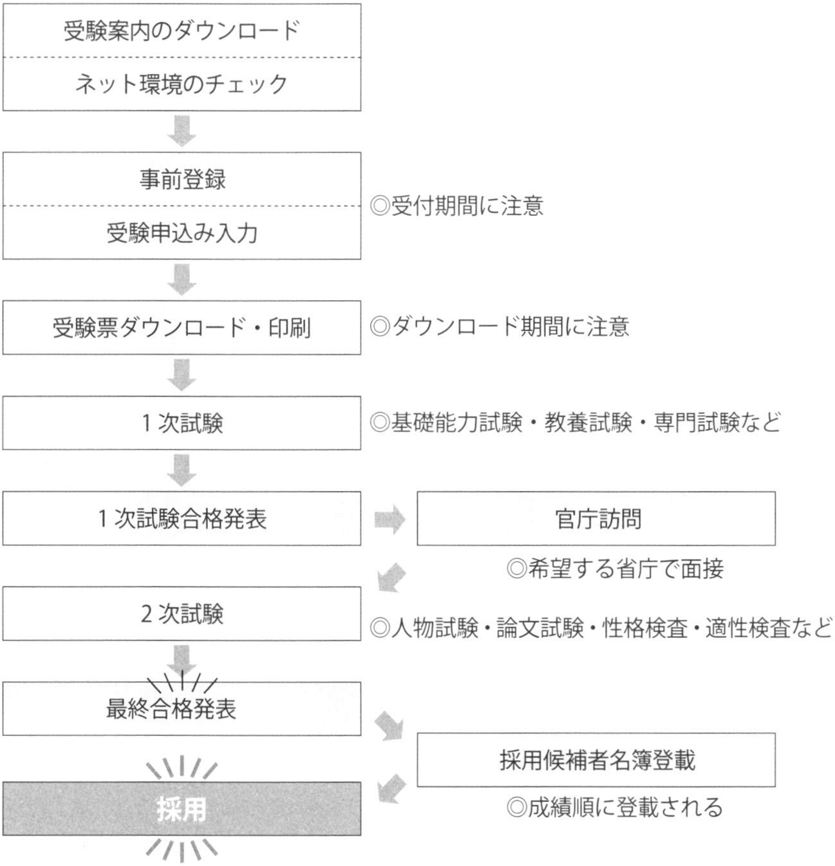

6 受験資格を確認しておこう

■年齢制限の引上げ

公務員試験には、受験資格として年齢制限が設けられています。しかし近年では、年齢制限を緩和する動きが広がっています。

警察官試験では、令和6年度は、年齢上限を35歳未満または36歳未満とする自治体が約半数となりました。

豆知識

●**中等教育学校**

1999（平成11）年の改正学校教育法の施行により誕生した形態で、中高一貫教育を行う公立の6年制の学校のことです。中等教育学校の卒業の年齢は、通常の高校の卒業の年齢と同じになります。

国家公務員試験は年齢制限はあるが学歴の制限は少ない

国家公務員試験は、院卒者、大学卒業程度、短大卒業程度、高卒者という学歴に応じた名称の区分になっていますが、年齢要件を満たせば、学歴を問わず受験できるものがほとんどです。たとえば､総合職（大卒程度）や一般職試験（大卒程度）では21歳以上30歳未満が受験資格で、この年齢の範囲を満たしていれば、大学を卒業している必要はなく、高卒者であっても受験することができます。ただし､国家公務員一般職(高卒者）の区分は、高校新卒者の採用を確保するために､「高校卒業」または「中等教育学校卒業」という**学歴を受験資格**としています。

同じ国家公務員でも院卒者区分や食品衛生監視員などは、**学歴要件**があります。これは、採用後の仕事がある程度限定されているため、その知識が必要になることから、学歴が問われると考えられます。

また、国家公務員の経験者採用試験の場合は、職種により、大学院または大学卒業後2～12年の実務経験がある者となっています。高卒程度では、実務経験は問われませんが、高校卒業後2年以上で39歳までとなっていますので、実質的には20代から30代を対象としていると考えてよいでしょう。

地方公務員試験は年齢や学歴の制限がある

地方公務員の場合は、自治体によって異なりますが、**年齢や学歴を要件**にしているところが多いようです。警察官や消防官は、通常、学歴と年齢との両方を要件にしています。

また、民間企業等経験者採用試験や社会人採用試験などの名称で、いわゆる中途採用者の試験が実施されていますが、その試験では、年齢制限が60歳未満と幅広く、学歴も問われない場合が多いようです。ただし、その職務経験を得るために学歴が必要な場合がありますので、結果としては大学卒業程度の学歴は必要な場合が多いといえます。

経験者採用試験では、企業での経験年数が必要

即戦力となる人材を求めて行われる経験者採用試験では、大学卒業後に民間企業、官公庁、国際機関等において**一定の年数の職務経験**を持つことが受験資格として求められます。国家公務員の**係長級**（事務）としての募集の場合は**2年以上**、**課長補佐級**の場合は**7年以上**などとなっていますが、年数は省庁によって異なります。

地方公務員の場合は、民間企業等職務経験者採用試験、社会人採用選考として実施されています。職務経験の必要年数は自治体ごとにかなり異なっており、**5年以上程度**が多いようです。

■ **大卒警察官は昇任が早い**

警察官採用試験の大卒程度の区分と高卒者の区分で採用された場合、どちらも、まず巡査として交番勤務につきますが、その後の昇任スピードに大きな差があり、大卒程度のほうが早く昇任します。

■ **海外勤務経験者の試験**

地方公務員では、海外勤務経験者の試験が実施されているところも多くあります。こちらは、民間企業の海外勤務の経験、留学、海外でのボランティア活動などの経験年数が必要になります。

■主な公務員試験の年齢制限（受験時）■

国家公務員	総合職		院卒者	～29歳
			大卒程度	21（教養区分は19）～29歳[*1]
	一般職		大卒程度	21～29歳[*2]
			高卒者	高校又は中等教育学校卒業見込み及び卒業後2年以内（中学卒業後2年以上5年未満も可）
			社会人	～39歳
	専門職	大卒程度	社会人[*3]	30～39歳
			上記以外	21～29歳
		高卒者	社会人[*3]	～39歳
			刑務官	17～28歳
			海上保安大学校・気象大学校	高校又は中等教育学校卒業見込み及び卒業後2年以内
			税務職員・航空保安大学校	高校又は中等教育学校卒業見込み及び卒業後3年以内
			上記以外	高校又は中等教育学校卒業見込み及び卒業後5年以内
	経験者採用区分			大学等卒業後又は高校卒業後2年以上（職種による）
	裁判所職員	総合職	院卒者	～29歳
			大卒程度	21～29歳
		一般職	大卒程度	21～29歳
			高卒者	高校又は中等教育学校卒業見込み及び卒業後2年以内
			社会人	20～39歳
地方公務員[*4]	事務系		上級	21～28歳程度
			初級	17～20歳程度
	技術系		上級	21～28歳程度
			初級	17～20歳程度
	警察官		大卒程度	21～35歳程度
			高卒程度	17～35歳程度
	消防官		大卒程度	21～28歳程度
			高卒程度	17～20歳程度

*1　21歳未満で大学卒業及び卒業見込みの者も可。教養区分は2023年度より20歳から引き下げ。
*2　21歳未満で大学、短期大学、高等専門学校卒業及び卒業見込みの者も可。
*3　専門職試験の社会人区分は、大卒程度：法務教官、高卒程度：皇宮護衛官、刑務官、入国警備官となります。
*4　地方公務員試験の年齢制限は、地方公共団体によって異なります。

日本国籍を持たない人は国家公務員になれない

国家公務員試験も地方公務員試験も、試験を受けられない者として、「国家公務員法（地方公務員法）の**欠格条項に規定される者**」が挙げられています。さらに国家公務員の場合、「**日本国籍を有しない者**」は受験できません。また、日本国籍を持っていても外国の国籍を持っている場合は、外務公務員にはなれません。

豆知識

●外務公務員

外務省本省の一般職の国家公務員のうち、外交領事館事務およびその一般的補助業務に従事する者、在外公館に勤務するすべての一般職の公務員のこと。

その他、特命全権大使、政府代表、全権委員なども外務公務員です。

■ 欠格条項（地方公務員法第 16 条による）■

①禁錮以上の刑に処せられ、その執行を終わるまで又はその執行を受けることがなくなるまでの者
②当該地方公共団体において懲戒免職の処分を受け、当該処分の日から二年を経過しない者
③人事委員会又は公平委員会の委員の職にあって、第六十条から第六十三条までに規定する罪を犯し刑に処せられた者
④日本国憲法施行の日以後において、日本国憲法又はその下に成立した政府を暴力で破壊することを主張する政党その他の団体を結成し、又はこれに加入した者

※国家公務員の場合も、国家公務員法第 38 条に同様の規定があります。

公安職には身体的要件がある

警察官・消防官・刑務官などの公安職の場合、仕事がら、受験にあたって**身体的要件**が課されています。身長・体重のほか、視力なども一定の基準に達していなければ受験できません。

■身体的要件の緩和

近年、警察官採用試験で身体基準を緩和する動きが広まっています。2023 年度から、警視庁では身長と体重の基準が廃止されました。

■ 身体的要件の例（警視庁警察官の場合）■

項　目	基準
視　力	裸眼視力が両眼とも 0.6 以上、または矯正視力が両眼とも 1.0 以上であること
色覚／聴力	警察官としての職務執行に支障がないこと
疾　患	警察官としての職務執行上、支障のある疾患がないこと
その他身体の運動機能	警察官としての職務執行に支障がないこと

※上記のすべてを満たすことが必要です。

7 試験の準備は計画的にすすめる

公務員試験の1次試験対策は1年半をかける

公務員試験では、1次試験に合格した者だけが2次試験を受けることができるので、1次試験対策をしっかりすすめておく必要があります。

1次試験の1年半前から準備すると充実した対策ができるでしょう。**国家公務員総合職**の場合は3月に試験が実施されるので**前年の1月**から、**国家公務員一般職（大卒程度）**と**地方公務員上級（大卒程度）**の場合は例年5～6月に試験が実施されるのでその**前年の3月**から学習を始めましょう。**国家公務員一般職（高卒程度・社会人試験）**と**地方公務員初級（高卒程度）**の場合は例年9月に実施されますのでその**前年の6月**から学習を始めるとよいでしょう。

院卒・大卒試験の対策は数的推理・判断推理から始める

●基礎能力試験・教養試験対策

国家公務員試験の基礎能力試験と地方公務員の教養試験の科目である知能分野の**数的推理**と**判断推理**は、高校までの学習内容には含まれないものなので、1次試験の1年半くらい前から学習を始め、よくわからない部分をはっきりさせて、**対策の方向**をつかみましょう。

1年くらい前になったら、知識分野の学習を、出題範囲が広い**社会**から始め、半年前になった

■併願の場合の学習計画

地方公務員の大卒程度を2つの自治体で受験する場合は、同じ時期に試験が実施されるので、学習予定は別に作る必要はありませんが、国家公務員一般職と地方上級を併願する場合には、国家公務員試験に合わせて予定を立て、国家公務員試験が終わったら、地方公務員の試験に向けて、もう一度基本を簡単に復習してから模擬試験に取り組むとよいでしょう。

■学生採用試験

海上保安大学校学生採用試験や、気象大学校学生採用試験などのように、特定の教育機関に入ることを前提とする試験の場合は、公務員試験というよりも、大学受験をするという心構えで勉強することが必要です。

ら**過去問題**に取り組みながらこれまでの知識を覚え込むようにします。そして、2か月前くらいには**模擬試験**などに挑戦してみましょう。

●専門試験対策

専門試験は、学習する分量の多い**民法・経済学**について**入門的な学習**を1年半前から始めます。大学の一般教養などで法律や経済を学習する機会が少なかった人は、**用語の意味**などの基礎をこの時期に養う必要があります。

1年くらい前になったら、**基本書**をじっくり読みすすめ、過去問題を解きながら知識の確認をします。そして2か月前くらいには**模擬試験**などに挑戦してみましょう。

高卒者の対策は、不得意科目に力を入れる

高卒程度の試験（事務区分）には専門試験がないので、**教養試験がすべて**です。各科目は2問程度ですから、広い範囲からどんな問題が出ても対応できるようにしておく必要があります。そのためには、**知識分野の苦手科目を減らす**必要があります。また、知能分野の**課題処理・数的処理**は学校では学習しない内容なので、大卒試験対策と同様に、**早めの準備**が必要です。

そこで、1年ほど前から**知識分野の苦手科目を基本**から学習し直しながら、**課題処理・数的処理の基本**を学習し始めましょう。半年前には、**過去問題**をやってみて自分の力を確認し、できないところを少しずつ減らしていきます。そして、2か月前になったら、**模擬試験**に挑戦しましょう。なるべく多くの試験を解いていろいろな問題を経験しておくとよいでしょう。

■経験者採用試験の準備

受験生の中には社会人もいるでしょうが、現役の学生に比べて勉強時間の取り方は難しいといえます。できれば1年間は勉強する時間を確保したいところです。

勉強する科目は、教養試験のうち、実力が身につくまで時間を要する一般知能を早めに始めます。専門試験科目でウエイトの高いものについても、早めに着手したいところです。

知っとく

●課題処理と数的処理

国家公務員一般職（高卒者試験）では、平成24年度より、判断推理は課題処理、数的推理は数的処理という科目名になりましたが、内容は従来の判断推理・数的推理に相当するものです。受験対策は過去の問題で対応できます。

■院卒試験・大卒試験の学習計画■

A：国家公務員総合職（院卒・大卒区分）の場合
B：国家公務員一般職（大卒）と地方公務員上級（大卒）の場合

A	B	科目	学習内容
受験前年の1〜4月	受験前年の3〜6月	基礎能力・教養	・知能分野のうち、特に数的推理と判断推理の2科目については、早期にとりかかり、試験直前まで間断なく継続することが大切。 ・基礎固めという意味では、国家一般職（高卒者）レベルの教材を使ってみるのも一つの方法である。 ・独学が難しく、受験生の間で差がつきやすい科目なので、予備校の授業を受けるのも効果的。 ・総合職はTOEICなど外部の英語試験を受験して加算を狙おう。
		専門	・専門科目の中でも分量の多い民法・経済学の入門的な勉強にとりかかる。 ・内容としては、今までこれらの科目に接したことのない人には、取っつきにくい専門用語等が多数出てくるので、この時期に正確に用語の意味を理解する。 ・独学が難しい人は予備校等を利用するのもよい。 ・他の法律科目についても、基礎能力試験と教養試験の知能分野の社会科目においても生かせる知識が含まれているので、できれば基礎固めをしておきたい。
受験前年の5〜10月	受験前年の7〜12月	基礎能力・教養	・知能分野については、実際の試験問題の典型的出題パターンとその解法テクニックを一つずつつぶしていく。 ・知識分野は、出題範囲の広い社会科学分野から手をつけ、用語の意味等をしっかりと押さえておく。 ・暗記すべき部分等重要事項が後で見返すときに一目瞭然となるよう、教科書への書き込み等をしておくとよい。後々、反復学習する時に役に立つ。
		専門	・民法・経済学と憲法、行政法および政治学・行政学について、本格的に基本的知識を修得する。 ・基本書の読み込み、予備校の講義等を利用しながら、重要事項については基本書への書き込み等を行う。 ・あまり細かい知識にこだわらず、基本事項をしっかりと理解することに重点をおく。

A	B	科目	学習内容
受験前年の11月～受験年の2月	受験年の1～4月	基礎能力・教養	• 知能分野については、実際の過去問題を中心に問題演習を引き続きこなす。この時期に苦手な出題パターンをしっかり認識し重点的に対策する。 • 知識分野については、前の時期に行った教科書への書き込み等の部分をしっかりと暗記する作業に入るとともに、過去問題を解きながら知識の漏れがないかチェックする。暗記の作業は、本試験直前まで少なくとも2回は繰り返す。
		専門	• これまでの6科目に加えて、併願等を考えて少なくとも2科目程度専門科目の学習を行う。 • 過去問題を解きながら知識の漏れがないかチェック。 • 暗記の必要な部分については、最低でも2回は繰り返したい。
		• 模擬試験を受け始める。	
3月	5～6月	• 本試験同様の時間制限を想定し、時間を計りながら問題演習をかさねる。間違った問題や知識があやふやだと感じた問題については、必ず教科書等に戻って確認し、知識の正確さを高める。 • 時間の許す限り、模擬試験で実践感覚を養う。	

■ 高卒試験の学習計画 ■

	学習内容
受験前年の6～12月	• 学習に時間がかかると予想される知能分野の課題処理・数的処理から始める。この分野の得点力アップが合格への近道である。 • 知識分野の苦手科目の基礎を復習するために、教科書を読み、克服する。
受験年の1～6月	• 課題処理・数的処理の問題演習をなるべく多くこなすようにする。 • 知識分野の苦手問題の問題演習に取り組む。解説もよく読み、同じ誤りをしないような力をつける。 • 得意な分野について、過去問題をやりながら、知識を確認していく。 • 模擬試験にも挑戦しよう。
7～9月	• 問題をなるべく多く解いて、実践力を養う。苦手分野のやり残したところを中心に復習もしておく。 • 模擬試験は積極的に受けよう。

8 試験に合格してもまだ安心はできない

■国家公務員採用候補者名簿の有効期間

国家公務員の採用候補者名簿には有効期間があります。2023年度の採用試験からは、総合職（教養区分以外）と一般職（大卒程度）は5年、総合職（教養区分）は6年6か月になりました。財務専門官、国税専門官、労働基準監督官の試験は5年で、その他は1年です。

有効期間5年または6年6か月の試験の最終合格者は、民間の会社で数年間勤務した後に採用をめざすことや、修士課程在学中に採用試験に合格して博士課程の修了後に採用をめざすことなどが可能になります。

公務員試験合格から採用されるまで

公務員試験に合格した人は、採用候補者名簿に成績順に記載されます。試験に合格するということは、その**名簿に記載される権利を得た**ということになります。

その後、国家公務員の場合は各省庁、地方公務員の場合は各部・各課などが必要な人材をその名簿から選抜し、面接をしてから最終決定をします。そこで初めて公務員になることができます。

国家公務員の場合は、合格しても採用されない場合がある

各省庁が今後の業務を行う必要性と予算を勘案して採用人数が決まるわけですが、合格者数は採用を辞退する人の分を見込んだ数となっています。辞退する人が予想よりも少なかった場合には、**一部の合格者が不採用**になってしまいます。また、採用候補者名簿の上位、つまり成績がよい人から採用されますので、下位での合格の場合には本人が希望する省庁に入ることができません。その場合、本人が辞退するということもあるようです。

なお、地方公務員の場合は、そうした誤差は少ないことから、合格となれば、ほとんど採用されますので安心してよいでしょう。

■採用候補者名簿からの採用等の状況（院卒者・大卒程度）■

（単位：人）

	採用候補者名簿	名簿作成日（年月日）	名簿記載者数	採用者数	辞退・無応答者数
院卒者	2022年度 国家公務員総合職	令和4年6月20日 （法務区分は令和4年10月21日）	627 （178）	269 （92）	80 （21）
大学卒業程度	2022年度 国家公務員総合職	令和4年6月20日 （教養区分は令和4年12月14日）	1,510 （484）	506 （187）	204 （62）
	2022年度 国家公務員一般職	令和4年8月16日	8,156 （3,271）	3,512 （1,441）	3,969 （1,595）
	2022年度 皇宮護衛官	令和4年8月16日	23 （5）	11 （1）	12 （4）
	2022年度 法務省専門職員（人間科学）	令和4年8月16日	493 （227）	175 （82）	305 （138）
	2022年度 外務省専門職員	令和4年8月24日	55 （30）	55 （30）	0
	2022年度 財務専門官	令和4年8月16日	632 （281）	183 （79）	438 （202）
	2022年度 国税専門官	令和4年8月16日	4,106 （1,869）	1,198 （425）	2,733 （1,363）
	2022年度 食品衛生監視員	令和4年8月16日	104 （64）	39 （27）	52 （30）
	2022年度 労働基準監督官	令和4年8月16日	463 （182）	195 （79）	240 （95）
	2022年度 航空管制官	令和4年10月3日	85 （42）	71 （38）	9 （2）
	2022年度 海上保安官	令和4年8月16日	63 （9）	27 （2）	36 （7）
	2022年度 経験者（係長級（事務、技術）、外務省書記官級、国税調査官級）（注6）	令和4年11月18日 及び 令和4年12月22日	153 （34）	104 （26）	49 （8）
	計		16,470 （6,676）	6,345 （2,509）	8,127 （3,527）

(注) 1 （ ）内は、女性を内数で示す。
2 総合職、一般職（大卒程度）、国税専門官及び労働基準監督官については、令和6年3月31日現在の状況である。
3 総合職、一般職（大卒程度）、国税専門官及び労働基準監督官及び海上保安学校学生（特別）以外については、名簿有効期間満了時の状況である。
4 総合職、一般職（大卒程度）、国税専門官、労働基準監督官の採用者数は、過年度名簿等からの採用者を含む。
5 上記のほか、防衛省（特別職）で、総合職（院卒者）23人（うち女性4人）、総合職（大卒程度）17人（同7人）、一般職（大卒程度）271人（同97人）の採用者がいる。
6 経験者（係長級（事務））の名簿作成日は令和4年11月18日及び令和4年12月22日、その他の経験者（係長級（技術）、外務省書記官級及び国税調査官級）の名簿作成日は令和4年12月22日である。

〔出典：『令和5年度　年次報告書』 人事院〕

コラム

どんどん変わる公務員試験

2024、2025 年度の国家公務員の一部の試験制度の変更については、本書 8 ページ以降に述べているとおりですが、地方公務員の試験制度もどんどん変わりつつあります。その一端を見てみましょう。

● 東京都の新制度

東京都は、2024（令和 6）年度より、1 類 B 採用試験（新方式）の行政・ICT・土木の対象区分で、これまでの教養試験（択一）に代えて適性検査（SPI3・マークシート型）を導入しました。これにより民間企業併願者・民間企業経験者も受験しやすくなりました。

また、秋に実施する 1 類 B（新方式・第 2 回）技術職（土木・建築・機械・電気）区分では、適性検査（SPI3）を、全国どこでも試験日を選択して受験可能な「テストセンター方式」で行い、受験資格を大学 3 年生相当年齢（21 歳）に拡大します。

● 特別区（東京 23 区）の新制度

特別区では、I 類採用試験において、2024（令和 6）年度から ICT 人材（事務（ICT）区分）の募集を開始しました。また採用候補者名簿の有効期間を 3 年間に延長、衛生監視（衛生）及び衛生監視（化学）の受験可能年齢を 22 歳以上 41 歳未満に拡大しました。

経験者採用試験においては、受験資格を一部変更しました。民間企業等における業務従事歴として、1 カ所の企業等で 4 年以上の継続した経験が必要でしたが、複数の企業等における 1 年以上の経験を通算可能（通算で最低 4 年以上必要）となりました。また民間企業等における必要な正規の勤務時間が「週 29 時間」以上でしたが、「週 20 時間」以上となりました。試験区分「福祉」の第 1 次試験は福祉論文のみとなり、技術区分（土木造園（土木）、建築、機械、電気）について、有資格者は第 1 次試験・選考の職務経験論文が免除となりました。

● 横浜市の新制度

横浜市では、2024（令和 6）年に第一次試験科目を適性検査（SPI3）のみとする試験を拡大しました。また、春に実施する技術職の試験について、第一次試験を SPI のみとする社会人採用試験を新たに実施しました。また、大学卒程度等採用試験について、一部試験区分を除き筆記試験科目の「教養」及び「論文」を廃止しました。

Part 3
公務員の種類と試験内容を知る

1 公務員試験の内容ラインナップ

受験資格・試験概要・受験スケジュールを詳しく見てみよう

3 国家総合職（大卒程度）〈事務系〉

各省庁の幹部を採用

試験の程度 大学卒業程度　職種 行政事務職　年齢制限 30歳未満

Ⓐ

＊受験資格・試験概要の内容については変更の場合があるので、必ず試験要項で確認してください。

受験資格

①試験が実施される年の4月1日現在で、21歳以上30歳未満の者（教養区分は2023年度より19歳以上30歳未満の者）。
②21歳未満の者で、試験の翌年3月までに大学を卒業または卒業見込みの者。
③人事院が②と同等の資格があると認める者。

Ⓑ

試験概要　（区分：政治・国際・人文、法律、経済、人間科学、教養）

1次試験	基礎能力試験（多肢選択式）	〈知能分野〉文章理解、判断・数的推理（資料解釈を含む） 〈知識分野〉自然・人文・社会に関する時事、情報 （「教養」は自然・人文・社会（時事を含む）、情報）
	専門試験（多肢選択式）	各区分に応じて必要な専門的知識などについての筆記試験（「教養」は総合論文試験）
2次試験	専門試験（記述式）	各区分に応じて必要な専門的知識などについての筆記試験（「教養」は企画提案試験）
	政策論文試験	政策の企画立案に必要な能力その他総合的な判断力、思考力についての試験（「教養」は政策課題討議試験）
	人物試験	人柄、対人的能力などについての個別面接 性格検査（人物試験の参考のため実施）
英語試験		外部英語試験のスコア等に応じて加算（→ p.67）

Ⓒ

●将来の幹部となる存在

国家総合職の大卒程度の試験は、国家総合職の院卒者を対象とした試験と同様に、将来、**国家の**

68

公務員になるためには、公務員試験を突破しなければなりませんが、公務員試験は、人事院や地方自治体の人事委員会が実施するもの、市町村が実施するもの、さらには、各省庁や地方自治体の各部局が実施するものなどいろいろあります。また、職種別にも行われています。そして試験の受験資格や内容が異なっています。

Part 3では、試験ごとに次のような内容を説明しています。自分のやりたい仕事について詳しく知ることができます。

Ⓐ 受験資格アイコン

学歴要件、仕事の種類、年齢制限、受験資格がすぐにわかるようにアイコンで表しました。詳しい内容を読まなくても、自分の条件に合うかどうかが簡単にわかります。気になったら、受験資格を読んでみましょう。

Ⓑ 受験資格

受験資格を詳しくまとめました。ほとんどの試験に年齢制限があります。同時に多くの試験で学歴による制限があります。そのほかに、一定の資格が必要な試験もあります。区分によって違いがある場合は、分けて記載していますので、特に別になっていない場合は、共通した条件です。年齢については満年齢で表記しています。

※公務員の欠格条項については省略しています。（欠格条項→ p.53）

Ⓒ 試験概要

1次試験、2次試験、3次試験に分け、さらに試験種目ごとの内容を区分による違いがわかるように一覧表にしました。基礎能力試験・教養試験については、大きな違いはありませんが、専門試験は形式や科目などかなり違いがあります。自分が受けやすい内容かどうかを見極めてください。また、他の試験と比較して、試験種目やその中の科目が共通しているかどうかなどが検討できるので、併願の参考にできます。

※身体検査は、どの試験でも実施されますが、特に重視されている試験以外では省略しています。

Ⓓ　受験スケジュール

試験を受けるためには一定の時期に出願手続きをして、1次試験、2次試験と順に試験をこなしていかなければなりません。その期間は、高卒程度の場合は3か月、大卒程度の場合は、6～7か月もかかります。自分の生活の中に試験の予定をきちんと組み込むために、受験スケジュールはしっかりと把握しておいてください。

いくつかの試験を受ける場合に、同じ時期であれば、試験種目・科目が同じものを受験すればチャンスが広がります。また、別の時期であれば、多少試験種目・科目が異なっても準備可能です。そうした計画の目安になります。

Ⓔ　仕事の内容や採用後の生活

本文では、その試験に合格して採用された場合にどのような仕事をするのか、どのような生活ぶりになるのかを具体的に説明しました。試験や職種名だけからではわからない公務員の姿を知ることで、仕事の内容が具体的に見えてくることでしょう。公務員試験は就職するための試験ですから、仕事の内容、転勤の範囲など自分の条件に照らし合わせた上で受験する試験を選ぶことも必要です。

Ⓕ　試験のここが知りたい！

公務員試験は、競争率が高いものが多いのが現実ですから、試験に合格するためには、試験の内容を理解して、効率よく要領よく勉強することが必要です。ここでは、試験の特徴とその対策、注意してほしいことなどをまとめました。試験概要の一覧表だけではわからない、ホットな情報をお知らせしています。

さあ、自分に合った仕事、自分のやりたい仕事は何かを考え、公務員になって働く自分の姿を頭に描いてみてください。そして、そのためにはどんな試験に合格しなければならないのかを頭に入れましょう。そのための第一歩は、見ること、読むことから始まります！

中枢で活躍できる人材を求めて実施されています。職場は海外を含め、省庁、地方自治体など全国規模にわたり、さまざまな業務に携わりながら広い見識を身につけることが期待されています。

国家総合職試験（大卒程度）のうち、事務系の区分には、**政治・国際・人文、法律、経済、人間科学、教養**の５つがあります。教養区分は、企画立案に必要な基礎的能力の検証を重視しています。他の区分とは別に、秋に試験が実施され、12月上旬に最終合格者が発表されます。

E

●試験では企画立案能力を重視

国家総合職は、国家行政の企画立案を担うことになるため、試験では**企画立案能力の検証**に重点をおいています。特に、２次試験の**政策論文試験**は、企画立案能力や総合的な判断力、思考力の有無を多角的・重点的に判断するために実施されています。

また、教養区分では、専門試験がありませんが、その代わりに、**総合論文試験**が課されています。２次試験の政策課題討議試験では課題に対するグループ討議によるプレゼンテーション力やコミュニケーション力が、企画提案試験では企画力、建設的な思考力および説明力などが問われます。

D

受験スケジュール（例）

２月上旬～下旬　出願手続き
↓
３月中旬　第１次試験
↓
４月中旬～５月中旬　第２次試験
↓
５月下旬　最終合格発表

＊教養区分の試験は秋に実施

F

試験のここが知りたい！

2024（令和６）年度の試験より、政治・国際・人文区分が創設されました。思想・哲学、歴史学、文学・芸術、人文地理学・文化人類学といった分野が新たに出題され、これまでの政治学・国際関係の専攻の者に加え、人文系の専攻者が自らの専門分野を選択して受験できるようになりました。

２次試験の「政策論文試験」では、資料の中に英文も含まれますので、十分な準備が必要です。なお、国家総合職の院卒者試験と同じく、１次試験と２次試験の配点比率は５：10です（教養区分は13：15）。

2 国家総合職（院卒者）〈事務系〉

最難関レベルの国家公務員採用試験

試験の程度	職種	年齢制限
大学院卒業程度	**行政事務職**	**30歳未満**

＊受験資格・試験概要の内容については変更の場合があるので、必ず試験要項で確認してください。

受験資格

試験が実施される年の4月1日現在、30歳未満で次に掲げる者。

〔行政、人間科学区分〕

①大学院修士課程または専門職大学院の課程を修了した者および試験の翌年3月までに修了する見込みの者。
②人事院が①と同等の資格があると認める者。

〔法務区分〕

①法科大学院の課程を修了した者または試験年度の3月までに当該過程を修了する見込みの者であって、司法試験に合格した者。
②司法試験予備試験に合格した者で司法試験に合格した者。

試験概要（区分：行政、人間科学、法務）

1次試験	基礎能力試験（多肢選択式）	〈知能分野〉文章理解、判断・数的推理（資料解釈を含む） 〈知識分野〉自然・人文・社会に関する時事、情報
	専門試験（多肢選択式）	各区分に応じて必要な専門的知識などについての筆記試験（法務区分はなし）
2次試験	専門試験（記述式）	各区分に応じて必要な専門的知識などについての筆記試験（法務区分はなし）
	政策課題討議試験	課題に対するグループ討議によるプレゼンテーション能力やコミュニケーション力などについての試験
	人物試験	人柄、対人的能力などについての個別面接 性格検査（人物試験の参考のため実施）
英語試験		外部英語試験のスコア等に応じて加算（→ P.67）

●院卒者に新たな人材を求める

国家総合職の院卒者試験は、**国家行政の中枢を担う**中央官庁の官僚、外交官などの事務系職種の採用試験のうち院卒者を対象とした採用試験で、**専門的な知識**を持つ**多様な人材**を得ることが目的です。

試験の区分は、**行政、人間科学、法務**の３区分です。そのうち、行政は、2024（令和６）年度から政治・国際・人文系コースが創設されました。このことにより、人文系専攻の人も受験しやすくなりました。

受験スケジュール（例）

２月上旬〜下旬　出願手続き
↓
３月中旬　第１次試験
↓
４月中旬〜5月中旬　第２次試験
↓
５月下旬　最終合格発表

＊法務区分の試験は 2024（令和６）年から春に実施

●国家行政の企画立案をする

仕事の内容は、中央省庁における国家行政の企画立案です。経済・外交・地方自治・労働・建設・福祉・環境をはじめとする国の行政のあらゆる分野において、実態を調査し、問題点を把握し、その解決方法を考えるというものです。**幅広い知識と想像力**が必要であり、難しい仕事ですが、**国の将来に関わる**だけにやりがいも感じられる仕事といえるでしょう。

試験のここが知りたい！

国家公務員の総合職試験では、最終合格者決定の際に、TOEFL（iBT）、TOEIC（L & R）、IELTS、実用英語技能検定（英検）のいずれかの英語試験のスコア等を有する受験者は、スコア等に応じて、総得点に 15 点または 25 点が加算されます。総合職試験実施年度の４月１日からさかのぼって５年前の日以降に受験した試験等のスコアが有効となります。

●スコア等と加算点

	TOEFL（iBT）	TOEIC（L & R）	IELTS	英検
15 点加算	65 以上	600 以上	5.5 以上	—
25 点加算	80 以上	730 以上	6.5 以上	準１級以上

3 国家総合職（大卒程度）〈事務系〉

各省庁の幹部を採用

試験の程度：大学卒業程度
職種：行政事務職
年齢制限：30歳未満

＊受験資格・試験概要の内容については変更の場合があるので、必ず試験要項で確認してください。

受験資格

①試験が実施される年の4月1日現在で、21歳以上30歳未満の者（教養区分は2023年度より19歳以上30歳未満の者）。
②21歳未満の者で、試験の翌年3月までに大学を卒業または卒業見込みの者。
③人事院が②と同等の資格があると認める者。

試験概要　（区分：政治・国際・人文、法律、経済、人間科学、教養）

1次試験	基礎能力試験（多肢選択式）	〈知能分野〉文章理解、判断・数的推理（資料解釈を含む） 〈知識分野〉自然・人文・社会に関する時事、情報 （「教養」は自然・人文・社会（時事を含む）、情報）
	専門試験（多肢選択式）	各区分に応じて必要な専門的知識などについての筆記試験（「教養」は総合論文試験）
2次試験	専門試験（記述式）	各区分に応じて必要な専門的知識などについての筆記試験（「教養」は企画提案試験）
	政策論文試験	政策の企画立案に必要な能力その他総合的な判断力、思考力についての試験（「教養」は政策課題討議試験）
	人物試験	人柄、対人的能力などについての個別面接 性格検査（人物試験の参考のため実施）
英語試験		外部英語試験のスコア等に応じて加算（→ p.67）

●将来の幹部となる存在

国家総合職の大卒程度の試験は、国家総合職の院卒者を対象とした試験と同様に、将来、**国家の**

中枢で活躍できる人材を求めて実施されています。職場は海外を含め、省庁、地方自治体など全国規模にわたり、さまざまな業務に携わりながら広い見識を身につけることが期待されています。

国家総合職試験（大卒程度）のうち、事務系の区分には、**政治・国際・人文、法律、経済、人間科学、教養**の５つがあります。教養区分は、企画立案に必要な基礎的能力の検証を重視しています。他の区分とは別に、秋に試験が実施され、12 月上旬に最終合格者が発表されます。

●試験では企画立案能力を重視

国家総合職は、国家行政の企画立案を担うことになるため、試験では**企画立案能力の検証**に重点をおいています。特に、２次試験の**政策論文試験**は、企画立案能力や総合的な判断力、思考力の有無を多角的・重点的に判断するために実施されています。

受験スケジュール（例）

２月上旬～下旬　出願手続き
↓
３月中旬　第１次試験
↓
４月中旬～５月中旬　第２次試験
↓
５月下旬　最終合格発表

＊教養区分の試験は秋に実施

また、教養区分では、専門試験がありませんが、その代わりに、**総合論文試験**が課されています。２次試験の政策課題討議試験では課題に対するグループ討議によるプレゼンテーション力やコミュニケーション力が、企画提案試験では企画力、建設的な思考力および説明力などが問われます。

試験のここが知りたい！

2024（令和６）年度の試験より、政治・国際・人文区分が創設されました。思想・哲学、歴史学、文学・芸術、人文地理学・文化人類学といった分野が新たに出題され、これまでの政治学・国際関係の専攻の者に加え、人文系の専攻者が自らの専門分野を選択して受験できるようになりました。

２次試験の「政策論文試験」では、資料の中に英文も含まれますので、十分な準備が必要です。なお、国家総合職の院卒者試験と同じく、１次試験と２次試験の配点比率は５：10 です（教養区分は 13：15）。

4 国家総合職（院卒者／大卒程度）〈技術系〉

技術面から国家行政を支える

試験の程度	職種	年齢制限
院卒者 大卒程度	技術職	30歳未満

＊受験資格・試験概要の内容については変更の場合があるので、必ず試験要項で確認してください。

受験資格		
受験資格	院卒者	試験が実施される年の4月1日現在で、30歳未満の者で次に掲げる者。 ①大学院修士課程または専門職大学院の課程を修了した者および試験の翌年3月までに修了する見込みの者。 ②人事院が①と同等の資格があると認める者。
	大卒程度	①試験が実施される年の4月1日現在で、21歳以上30歳未満の者。 ② 21歳未満の者で、試験の翌年3月までに大学を卒業または卒業見込みの者。 ③人事院が②と同等の資格があると認める者。

試験概要　（区分：デジタル、工学、数理科学・物理・地球科学、化学・生物・薬学、農業科学・水産、農業農村工学、森林・自然環境）

院卒者・大卒程度ともに共通	1次試験	基礎能力試験 （多肢選択式）	〈知能分野〉文章理解、判断・数的推理（資料解釈を含む） 〈知識分野〉自然・人文・社会に関する時事、情報
		専門試験 （多肢選択式）	各区分に応じて必要な専門的知識などについての筆記試験
	2次試験	専門試験 （記述式）	各区分に応じて必要な専門的知識などについての筆記試験
		政策課題討議試験	〔院卒者のみ実施〕 課題に対するグループ討議によるプレゼンテーション能力やコミュニケーション力などについての試験
		政策論文試験	〔大卒程度のみ実施〕 政策の企画立案に必要な能力その他総合的な判断力、思考力をみる筆記試験
		人物試験	人柄、対人的能力などについての個別面接 性格検査（人物試験の参考のため実施）

英語試験	外部英語試験のスコア等に応じて加算（→ p.67）

●技術系行政官の採用試験

国家総合職の院卒者試験と大卒程度試験のうち、デジタル、工学、数理科学・物理・地球科学、農業農村工学をはじめとする７つの区分の採用試験は、中央省庁において科学技術の専門知識を持つ**技術系行政官（技官）**を採用するための試験で、事務職と同様に**幹部候補**として扱われます。採用後は、事務職と協力して、国家行政の企画立案を行います。

●専攻を生かした職種で活躍

技術系の区分で合格した者は、専門知識や技術を生かすことのできる省庁や部署に配属されますが、専門知識に関連する全国の出先機関、独立行政法人、地方自治体に赴任し、異動しながら昇進するのは、事務職と同様です。ただし、**異動は専門分野に応じた部署に限られ**、事務職に比べると異動の範囲は限定されるようです。

受験スケジュール（例）

２月上旬～下旬　出願手続き
⬇
３月中旬　第１次試験
⬇
４月中旬～５月中旬 第２次試験
⬇
５月下旬　最終合格発表

具体的な活躍の場としては、特許庁などで技術の審査等に関わったり、**国立の研究機関**などにおいて研究をするというような場合もあります。その研究の成果は、制度をつくる場合の資料として使われます。

試験のここが知りたい！

技術系の試験区分では、専門試験の克服が最大のカギとなります。受験する試験区分により差異はありますが、いずれの科目もおおむね大学の講義の内容と同程度のレベルの試験が行われるものと考えてさしつかえありません。この点を踏まえて対策を講じるべきでしょう。

5 国家一般職（大卒程度）〈行政〉

中堅幹部、専門家としての将来が期待される人材の登用

試験の程度 **大学卒業程度**

職種 **事務職**

年齢制限 **30歳未満**

＊受験資格・試験概要の内容については変更の場合があるので、必ず試験要項で確認してください。

受験資格

①試験が実施される年の4月1日現在で、21歳以上30歳未満の者。

② 21歳未満の者で、次に掲げる者。

1. 大学を卒業した者および試験の翌年3月までに大学を卒業する見込みの者。
2. 短期大学または高等専門学校を卒業した者および試験の翌年3月までに卒業する見込みの者。
3. 人事院が1. 2. と同等の資格があると認める者。

試験概要（区分：行政）

1次試験	基礎能力試験（多肢選択式）	〈知能分野〉文章理解、判断推理、数的推理、資料解釈 〈知識分野〉自然・人文・社会に関する時事、情報
	専門試験（多肢選択式）	政治学、行政学、憲法、行政法、民法（総則および物権）、民法（債権、親族および相続）、ミクロ経済学、マクロ経済学、財政学・経済事情、経営学、国際関係、社会学、心理学、教育学、英語（基礎）、英語（一般）の16科目80題から8科目40題を選択解答
	一般論文試験	文章による表現力や課題に対する理解力などについての短い論文による試験
2次試験	人物試験	人柄、対人的能力などについての個別面接 性格検査（人物試験の参考のため実施）

●定型的な業務に従事する

国家総合職の採用職員が、一般に「キャリア」と呼ばれる将来の最高幹部となりうるのに対して、国家一般職の採用職員は、**国の中堅幹部**となることが期待されています。また、総合職採用職員が各省庁において、政策の青写真を作る仕事をするのに対し、一般職採用職員は主に、**事務処理等の定型的な業務に従事**して、総合職を支えます。

そのため一般職の試験は、的確な**事務処理能力**を有するかどうかを重視して行われ、同時に、より**人物試験に重点**をおいたものとなっています。

なお、一般職には、「行政」のほかに、「デジタル・電気・電子」「土木」「建築」などの技術系の区分もあります。

●求められる幅広い知識

国家総合職を支えるには、幅広い知識が必要です。また**論理的思考力**、**文章構成力**、対人関係を支える**表現力**も必須です。そのため試験では、国家総合職同様に知能分野に重点がおかれ、一般論文試験では、現代の社会問題をテーマに論じることが課せられます。

一般職試験を受験する際には、そういった点に留意し、いかに**幅広い知識**を身につけ、それについて論じることのできる**思考力**を養うことができるかが重要となってきます。また、いったん身につけた知識をさらに広げるための努力を続け、自分の中の引き出しを増やすことも必要です。

受験スケジュール

2月下旬～3月下旬　出願手続き
⬇
6月上旬　第1次試験
⬇
7月中旬～下旬　第2次試験
⬇
8月中旬　最終合格発表

●人柄重視の人物試験

人物試験対策も万全にしておかなければなりません。**自分の考えを簡潔にまとめて**話したり、素直に受け答えができるよう練習することが大切です。

試験のここが知りたい！

基礎能力試験は、国家総合職ほどではありませんが、かなり難度が高いです。アウトラインだけの理解では歯が立たない設問も多く出題されますから、細部まで詰めておくことが重要です。また、専門試験では記述式は課されないものの、設問の難度はやはり、かなり高いことを認識して、学習に取り組んでほしいところです。

6 国家一般職（大卒程度）〈技術系〉

技術面から国家行政を支える中堅幹部

試験の程度：**大学卒業程度**
職種：**技術職**
年齢制限：**30歳未満**

＊受験資格・試験概要の内容については変更の場合があるので、必ず試験要項で確認してください。

受験資格

①試験が実施される年の4月1日現在で、21歳以上30歳未満の者。
② 21歳未満の者で、次に掲げる者。
1. 大学を卒業した者および試験の翌年3月までに大学を卒業する見込みの者。
2. 短期大学または高等専門学校を卒業した者および試験の翌年3月までに卒業する見込みの者。
3. 人事院が1. 2. と同等の資格があると認める者。

試験概要　（区分：デジタル・電気・電子、機械、土木、建築、物理、化学、農学、農業農村工学、林学）

1次試験	基礎能力試験（多肢選択式）	〈知能分野〉文章理解、判断推理、数的推理、資料解釈 〈知識分野〉自然・人文・社会に関する時事、情報
	専門試験（多肢選択式）	各区分に応じて必要な専門的知識などについての筆記試験
	専門試験（記述式）	各区分に応じて必要な専門的知識などについての筆記試験
2次試験	人物試験	人柄、対人的能力などについての個別面接 性格検査（人物試験の参考のため実施）

●技術面で行政の実施を支える

国家総合職の技術系の職員が、企画立案業務に従事するのに対して、国家一般職の技術系の職員は、主に**政策の実施**に関わります。そしてそのためには、事務的な分野だけではなく、科学技術の専門知識、技術の提携・協力が必要です。

一般職採用者は各省庁において、**中堅幹部**として専門知識を生かした行政計画の実施に貢献しますが、技術職の場合、採用区分は土木、化学、建築、機械、デジタル・電気・電子、物理など多岐にわたっています。職種は省庁ごとに特徴がありますから、自分の希望する業務に携われるような省庁に採用されるように、事前によく調べておくとよいでしょう。

●確かな知識と技術力が問われる

国家一般職（大卒程度）の技術系区分の試験では、行政区分と同様に**幅広い知識**の有無に加えて、**専門分野での確かな知識**が問われます。

たとえば、同じ国家一般職（大卒程度）の行政区分での専門試験では、解答する問題を選択できますが、技術系区分の専門試験は、デジタル・電気・電子、物理、化学を除くほとんどの場合が全問必須解答となっており、どの程度の専門知識を有しているかが検証できるようになっています。また、専門試験は多肢選択式と記述式の両方が実施されており、このうち記述式の専門試験では、専門知識を基礎とした教養論文が課せられるため、自分の専門分野に関する**理解力、思考力**も問われることになります。これらは国家総合職を支えるための必須能力ですので、こういった点を踏まえて学習してください。

人物試験は、国家一般職試験（大卒程度）の行政区分と同様に、人柄や受け答えの**的確さ**について判断されますので、事前の準備が必要です。

受験スケジュール

2月下旬～3月下旬　出願手続き
↓
6月上旬　第1次試験
↓
7月中旬～下旬　第2次試験
↓
8月中旬　最終合格発表

試験のここが知りたい！

1次試験での基礎能力試験と専門試験の配点比率は2：5となっている点に注意し、専門試験の学習に力を入れてください。
また、国家一般職の行政区分の試験と同様、基礎能力試験と多肢選択式の専門試験は、出題範囲が非常に広いものとなっていますので、出題傾向に沿って効率性を重視した対策をたてる必要があります。

7 国家一般職（高卒者／社会人）〈事務／技術系〉

事務の円滑業務の推進と、技術のサポートをする

試験の程度	職種	年齢制限	
高校卒業程度	事務職・技術職	19 20歳未満	39 40歳未満

＊受験資格・試験概要の内容については変更の場合があるので、必ず試験要項で確認してください。

受験資格	高卒者	①試験が実施される年の4月1日現在で、高等学校または中等教育学校を卒業した日の翌日から起算して2年を経過していない者および試験の翌年3月までに卒業見込みの者。 ②人事院が①に準ずると認める者。
	社会人	①試験が実施される年の4月1日現在で、40歳未満の者（上記高卒者①の期間を経過した者）。 ②人事院が①に準ずると認める者。

試験概要（区分：事務）

1次試験	基礎能力試験（多肢選択式）	〈知能分野〉文章理解、課題処理、数的処理、資料解釈 〈知識分野〉自然科学、人文科学、社会科学、情報
	適性試験（多肢選択式）	置換・照合・計算・分類などの比較的簡単な問題を時間内に番号順にできるだけ多く解答するスピード検査
	作文試験	文章による表現力、課題に対する理解力などをみる試験
2次試験	人物試験	人柄、対人的能力などについての個別面接 性格検査（人物試験の参考として実施）

試験概要〈技術系〉（区分：技術、農業土木、林業）

1次試験	基礎能力試験（多肢選択式）	〈知能分野〉文章理解、課題処理、数的処理、資料解釈 〈知識分野〉自然科学、人文科学、社会科学、情報
	専門試験（多肢選択式）	各区分に応じて必要な専門的知識などについての筆記試験
2次試験	人物試験	人柄、対人的能力などについての個別面接 性格検査（人物試験の参考のため実施）

●行政は一般事務の仕事

国家一般職（高卒者）の事務区分は、国家総合職、一般職（大卒程度）採用者をサポートし、庶務や経理などの**一般事務**の業務に従事します。

国家一般職試験は、全般にわたって、的確な**事務処理能力**の有無を検証することに重点をおいていますが、高卒者の事務区分で実施される適性試験は特に、**速くて正確**な事務処理能力を問うもので、他の試験とは方法が異なっています。慣れるために、何回も練習を行うとよいでしょう。

●技術系は専門を生かした業務

国家一般職（高卒者）の技術系区分の仕事は、国家総合職、一般職（大卒程度）採用者を、技術分野の**専門的知識を使ってサポート**することです。

専門試験は、国家一般職試験（大卒程度）に準じる科目で課され、専門分野の広い範囲を網羅する技術力が求められているといえます。ただし**多肢選択式試験のみ**で、記述式試験は課されません。なお、社会人試験はすべての区分で実施されるわけではありませんので、注意してください。

受験スケジュール〈事務・技術共通〉

6月中旬～下旬　出願手続き
⬇
9月上旬　第1次試験
⬇
10月上旬～中旬　第2次試験
⬇
11月中旬　最終合格発表

試験のここが知りたい！

事務区分の受験者は、知識分野の科目で、要点整理集を利用した学習が有効です。油断大敵なのが適性試験です。繰り返し練習をして、慣れるようにしておきましょう。
技術系の試験では、適性試験と作文試験が課されない代わりに、専門試験が課されますが、多肢選択式のみであるため、知識を覚えておけばある程度点がとれます。

8 地方上級　事務〈都道府県・政令指定都市〉

地方自治体における企画立案・実施を担う人材を採用

試験の程度：**大学卒業程度**
職種：**事務職**
年齢制限：**要確認**

＊受験資格・試験概要の内容については自治体によって異なるので、必ず試験要項で確認してください。

受験資格

試験が実施される年の４月１日現在で、21 歳以上 29 歳未満の者とされる場合が多いが、地方自治体や職種によって異なる。大学卒業または卒業見込みを要件にするところもある。
【東京都Ⅰ類Ａの場合】
試験が実施される年の４月１日現在で、23 歳以上 31 歳未満の者。

試験概要（例）（区分：行政、事務、法律、経済、学校事務、警察事務）

1次試験	教養試験（択一式）	〈一般知能〉文章理解（英文を含む）、判断推理、数的推理（数的処理）、資料解釈、空間概念 〈一般知識〉人文科学、社会科学、自然科学、社会事情
	専門試験	憲法、行政法、民法、経済学、財政学、政治学、行政学、社会学、会計学、経営学
	論文試験	課題式。1,000 ～ 1,500 字程度 ※２次試験で実施される場合もある
2次試験	口述試験	主に人柄に関する個別面接 ※集団討論を実施する自治体もある
	適性検査	職員として必要な素質・性格についての検査
3次試験	口述試験	主に人柄に関する個別面接 ※３次試験を実施しない自治体もある

●行政の企画立案・実施に携わる

地方上級試験とは、地方公務員試験のうち、大卒程度として実施される試験で、**難度はかなり高い**ものになります。

上級試験の事務系の主な区分としては、行政（事務、法律、経済に区分されていることもある）、学校事務、警察事務があり、このうち行政、法律、経済などの区分で採用された場合は、将来的に、行政の企画立案、実施まで、行政全般にわたって携わることになります。**地方自治体の重要な役職につく人**は、通常、この上級試験に合格しています。

●試験の共通点と独自性

地方自治体では個々に試験を実施しますが、出題問題の共通点が多くみられる一方、出題パターンを変えずに出題科目を変えたり、全問必須解答ではなく選択解答制にするなどして、**独自性**を打ち出す傾向が強くなっています。

基本的に、1次試験では教養試験、専門試験が課され、専門試験は、択一式、記述式とさまざまです。それに加えて、一般企業のようにエントリーシートを導入して志望動機や自己PRを含めた評価をする自治体や、1次試験から論文試験を行う自治体もあります。

受験スケジュール（例）

2月下旬～3月中旬　出願手続き
⬇
4月下旬　第1次試験
⬇
6月中旬～6月下旬　第2次試験
⬇
7月上旬　最終合格発表

2次試験では、一般的に論文試験と口述試験（個人面接）、集団討論またはグループワークの3つを行う自治体が多いようです。さらに、3次試験まで行う自治体もあります。

また、1年に複数回の試験を実施している地方自治体もあります。

このように、**自治体によってさまざまな傾向**がありますので、それに応じた効率的な学習をするためにも、試験概要の下調べは入念に行うべきでしょう。

試験のここが知りたい！

受験する地方自治体（都道府県などの自治体）によって内容に若干の差違がありますが、試験難度はかなり高度になっており、国家一般職と同程度と考えてよいでしょう。そのため、専門試験だけでなく教養試験についても十分な対策をとる必要があります。

9 地方上級　技術〈都道府県・政令指定都市〉

地域行政を技術面から支える人材を採用

試験の程度：**大学卒業程度**　職種：**専門職**　年齢制限：**要確認**

＊受験資格・試験概要の内容については自治体によって異なるので、必ず試験要項で確認してください。

受験資格

試験が実施される年の4月1日現在で、21歳以上29歳未満の者とされる場合が多いが、年齢・学歴要件とも自治体によって異なる。職種により、資格や免許の取得（見込み）が要件。
【東京都Ⅰ類B（獣医・薬剤は除く）の場合】
試験が実施される年の4月1日現在で、21歳以上29歳未満の者。

試験概要（例）（区分：機械、電気、土木、建築、農業、農業土木、農芸化学、林業、畜産、水産、造園、獣医師、薬剤師など）

1次試験	教養試験（択一式）	〈一般知能〉文章理解（英文を含む）、判断推理、数的推理（数的処理）、資料解釈および空間把握 〈一般知識〉人文科学、社会科学、自然科学、社会事情
	専門試験	各分野の専門知識に関する試験 （例）土木：数学、構造力学、水理学、土質工学など
	論文試験	課題式。1,000 ～ 1,500字程度 ※2次試験で実施される場合もある
2次試験	口述試験	人柄に関する個別面接および職務に関する知識について ※集団討論を実施する自治体もある
	適性検査	職員として必要な素質・性格についての検査
3次試験	口述試験	主に人柄に関する個別面接 ※3次試験を実施しない自治体もある

●専門分野を生かして地域に貢献

地方自治体で、行政実施にあたっての**技術面の研究開発**に携わる上級職員の採用試験です。

技術系の職種で採用された場合、それぞれの専門分野に応じた部署に配属されますが、採用されてすぐは、直接、地域住民と関わる各部署の出先機関（土木事業所など）に配属されることが多いようです。また、衛生行政の分野でも、技術系の職員が多数活躍しています。

●幅広い知識を必要とする試験

試験内容は、地方上級試験の事務系区分の説明でも触れたように、1次試験では一般的に教養試験と専門試験が課され、そのうち専門試験については択一式か記述式かのどちらかになります。また、事務系区分と同様の課題で論文試験が課される場合もあり、その他では近年、2次試験での**口述の点数比重も高まって**きています。一方、技術系を受験する場合は、自分の専門分野だけでなく、教養試験で出題される法律や経済などといった分野の勉強も必要になります。

受験スケジュール（例）

2月下旬～3月中旬　出願手続き
⬇
4月下旬　第1次試験
⬇
5月中旬～下旬　第2次試験
⬇
6月下旬　最終合格発表

また、一口に技術系といっても、地方自治体によって試験区分にはさまざまな種類がありますが、その年に募集された職種が、その次の年にも募集されるとは限りません。比較的採用が多いのは、建築・土木・電気で、林業・畜産・獣医師は少なめです。受験する年に、どの地方自治体で、どのような技術区分が必要とされているかをあらかじめ調べ、自分の志望とすり合わせながら試験に臨む準備をしてください。

試験のここが知りたい！

専門試験のレベルは、大学（専門学校を含む）で扱う範囲内と考えておくとよいでしょう。論文試験の課題も専門分野に関連したものが多く出題されますので、正確な知識を身につけるようにしましょう。また、地方上級事務と同様に、教養試験についても油断大敵です。十分な対策をたてることが必要となってくるでしょう。

10 地方上級　福祉・心理〈都道府県・政令指定都市〉

福祉行政のエキスパートとして地域社会に貢献

試験の程度：大学卒業程度　職種：専門職　年齢制限：要確認

＊受験資格・試験概要の内容については自治体によって異なるので、必ず試験要項で確認してください。

受験資格

試験が実施される年の4月1日現在で、21歳以上29歳未満の者とされる場合が多いが、年齢・学歴要件とも自治体によって異なる。福祉に関しては、社会福祉主事任用資格を必要とするところがほとんどなので、資格要件の確認をしておくこと。

試験概要（例）（区分：福祉、心理）

1次試験	教養試験（択一式）	〈一般知能〉文章理解（英文を含む）、判断推理、数的推理（数的処理）、資料解釈および空間把握 〈一般知識〉人文科学、社会科学、自然科学、社会事情
	専門試験（択一式）	〔福祉職〕社会学概論、社会福祉概論、社会心理学、児童心理学、ケースワークなど
		〔心理職〕一般心理学、応用心理学、臨床心理学など
2次試験	論文試験（筆記）	文章による表現力、課題に対する理解力、思考力をみる試験（900～1,100字程度）
	適性試験	公務員として職務遂行上必要な素質や適性をみる試験
	人物試験	個別面接

●福祉職の仕事と試験内容

地方上級試験の福祉職で採用された人は、都道府県、政令指定都市などの職員として、福祉に関連する仕事に従事します。配属される機関や仕事の内容は、採用先の地方自治体によって多岐にわたりますが、主に自治体が運営する**福祉施設**が勤務先となり、**相談**、**ケースワーク**、**各種指導**といった業務につきます。

1次試験の教養試験の出題傾向は、地方上級と共通ですが、技術系区分と同様に、専門試験が課され、福祉の基礎問題から応用問題まで**広範囲**にわたっています。また、受験資格として、社会福祉主事、児童指導員などの任用資格、社会福祉士、保育士などの資格が必要となります。

このように、福祉職に従事する人には、**専門家としての確かな知識**と高い職業意識を有することが必要条件となっています。

●心理職の仕事と試験内容

地方自治体によって、その名称や配属先、仕事内容はさまざまですが、地方上級試験の心理職で採用された人は、主に児童相談所、福祉施設、障害者関連施設、病院において、相談者や患者に対する**心理判定業務**（面接、心理テストなど）、**相談業務**、**指導**などを行っています。

試験の出題内容は、福祉職とほぼ同様で、専門分野である心理学については、出題範囲が広いものの、基礎的な問題が多く出題される傾向にあります。

受験資格としては、大学で心理学を専攻した者に限っている自治体もありますが、多くの自治体ではそういった受験資格を必要とはしていません。

受験スケジュール（例）

3月上旬～下旬　出願手続き
⬇
6月下旬　第1次試験
⬇
7月上旬～8月中旬　第2次試験
⬇
8月上旬～下旬　最終合格発表

試験のここが知りたい！

教養試験は、ほかの地方上級試験と同じく、十分な対策をとり、確実に点数をとれるようにしておきましょう。専門試験は、学習項目が膨大なものになります。特に出題頻度の高いものから選んで、過去問題を用いながら、実践的な思考パターンを養成し、幅広い知識と解答力を身につける必要があります。
また、人と接することが仕事の基本となりますので、面接試験対策のためにも、日頃からコミュニケーション能力を磨いておくとよいでしょう。

11 市町村上級・中級〈事務／技術系〉

地域に貢献したい地元志向の強い人に適した職場

試験の程度：大学卒業程度　職種：募集による　年齢制限：要確認

＊受験資格・試験概要の内容については自治体によって異なるので、必ず試験要項で確認してください。

受験資格

①住所要件や学歴要件を設けているところもあるが、自治体によって違いがあるので、確認が必要。
②国籍条項については、撤廃した自治体もあるが、自治体によって異なるので、確認が必要。
③年齢制限は、上限が 29 歳未満程度。

試験概要（例）（区分：行政事務、建築、土木、化学、電気、機械、保育士、栄養士など）

1次試験	教養試験（択一式）	〈一般知能〉文章理解（英文を含む）、判断推理、数的推理（数的処理）、資料解釈 〈一般知識〉人文科学、社会科学、自然科学
	専門試験（択一式）	各職種に応じた必要な専門的知識についての試験 ※区分によっては、実施しない自治体もある
2次試験	適性試験	公務員として職務遂行上必要な素質や適性をみる検査 ※実施しない自治体もある
	作文試験	文章による表現力、思考力を判断する試験 ※実施しない自治体もある
	面接試験	個別面接 ※自治体によっては複数回の個別面接を実施したり、個別面接と集団面接を組み合わせる場合もある

●最も住民に身近な仕事

地域住民にとって、最も生活に密着した公務員が、市町村職員です。市町村職員は、市町村の行政のほか、財政を軸とする**行政の企画立案**とその**実施**、地域活性化のためのプロジェクトなどといった業務に携わっています。またそのほかには、戸籍や住民票などに関する業務、ごみ処理やリサイクルに関する業務、火災予防・消火活動、公園･道路の建設や維持など、さまざまな**行政サービス**を実施しています。

異動に関しては、各部署間で行われるため､基本的に**転勤はなく**、地元志向の強い人に向いている職場といえます。

●自治体ごとに異なる試験を実施

採用試験では、専門科目を課さない自治体も多く、主に**基礎学力**や**適性試験**、**面接試験**に重点をおいています。しかし、技術職の採用試験においては専門試験も課され、そのほか面接試験では、個別面接だけでなく集団面接を実施する場合があります。

また、自治体によって、選考過程・出題問題についても多岐にわたります。さらには**毎年の採用人数も変則的**で、同じ自治体の採用試験であっても、難易度が年ごとに異なるといったことも珍しくないため、注意が必要です。

受験スケジュール（例）

4月下旬～5月中旬　出願手続き
↓
6月中旬　第1次試験
↓
7月上旬～8月上旬　第2次試験
↓
8月下旬　最終合格発表

試験のここが知りたい！

政令指定都市の採用試験は、都道府県の採用試験と同様の内容で実施されます（→ p.78)。それ以外の市町村の試験は、試験種目も少なく難度も少し下がりますが、試験種目の構成も自治体によってさまざまであるため、注意する必要があります。また、年度による難易度のばらつきも多いので、難しかった年を目標に準備する必要があります。

なお、地方公務員を受験する場合には、「なぜその市町村（都道府県も同じ）を志望したのか」ということをしっかりと明確にしておくことが重要です。これは､面接の際に重視される質問事項なので､理由が明確で､納得できる答えを用意しておきましょう。

12 地方初級〈都道府県・政令指定都市〉・市町村初級

堅実なサポートで地域行政を支える

試験の程度：高校卒業程度
職種：募集による
年齢制限：要確認

＊受験資格・試験概要の内容については自治体によって異なるので、必ず試験要項で確認してください。

受験資格

年齢制限や学歴要件、国籍条項については、自治体によってかなり違いがあるので、確認が必要。通勤時間などで住所要件を定めているところもある。年齢制限は21歳未満が目安。
【東京都Ⅲ類の場合】
試験が実施される年の4月1日現在で、17歳以上21歳未満となる者。

試験概要（例）（区分：行政事務、学校事務、建築、土木、化学、電気、機械など）

1次試験	教養試験（択一式）	〈一般知能〉文章理解（英文を含む）、判断推理、数的推理（数的処理）、資料解釈および空間把握 〈一般知識〉人文科学、社会科学、自然科学
	専門試験（択一式）	各職種に応じた必要な専門的知識についての試験 ※区分によっては、実施しない自治体もある
	適性試験	公務員として職務遂行上必要な素質や適性をみる検査 ※2次試験で実施する自治体、実施しない自治体もある
	作文試験	文章による表現力、思考力を判断する試験 ※2次試験で課すところもある
2次試験	人物試験	個別面接

※受験申込書を本人が持参し、その際に簡単な面接（面談）を行う場合もある。

●さまざまな部署に配属される

一般的に、地方初級試験は都道府県・政令指定都市の高校卒業程度のことをいい、市町村初級はその他の市役所・町役場の高校卒業程度の試験のことです。

地方公務員初級で採用された場合は、各自治体の各機関に勤務し、庶務、経理、行政計画の**企画立案**などに伴う事務を行います。どの部署でも必要な仕事になりますので、**配属先は各分野**におよびます。

具体的な仕事は、役所における戸籍業務、ごみの処理、リサイクルの手続きに関する業務、公園・道路などの管理業務など、多岐にわたっています。異動は、部署間で３～４年ごとに行われ、さまざまな部署を経験します。ただし異動は、受験した自治体が管轄する範囲内になります。

市町村初級試験で採用された場合も、地方初級や市町村上・中級と同じく、地域住民が求める**行政サービスを実施**していくのが主な仕事となります。また、地方上・中級と同じく、基本的には部署間で異動するため、**転勤はありません**。

受験スケジュール（例）

7月上旬～8月上旬　出願手続き
↓
9月上旬　第1次試験
↓
10月下旬　第2次試験
↓
11月中旬　最終合格発表

●基礎的な学力が問われる

試験内容は、各自治体で異なりますが、教養試験、適性試験、作文試験によって、**基礎的な学力**の有無を検証するとともに、**人物試験（個別面接）にも重点**をおいて実施されています。なお、技術系や有資格者対象の試験では、その分野に応じた専門試験が課されます。

また、学歴規定を設けている自治体が多く、そのほとんどでは大学卒業（見込み）者は受験することができないので、注意してください。

試験のここが知りたい！

教養試験の範囲が広いため、何から手をつけたらよいのか戸惑う受験生も多いようですが、一般知識については、基本的事項が体系的に整理された「要点整理集」などを利用した学習法が効果的です。適性試験の対策としては、出題パターンに慣れるために繰り返し練習することが大切で、徐々にスピードを上げて解答する訓練をするとよいでしょう。
〈技術〉の区分では専門試験がある自治体も多いので対策を忘れないでください。なお、初級の作文試験の課題は、上級とは異なり、時事的なテーマよりも、地域への関心度をみるテーマや、自分自身の経験や考え方に関するテーマが中心です。

⑬ 国税専門官（大卒程度）

国税庁に勤める税のスペシャリストをめざす

試験の程度：大学卒業程度
職種：文系専門職
年齢制限：30歳未満

＊受験資格・試験概要の内容については変更の場合があるので、必ず試験要項で確認してください。

受験資格

①試験が実施される年の4月1日現在で、21歳以上30歳未満の者。
②21歳未満の者で、試験の翌年3月までに大学を卒業および卒業見込みの者。
③人事院が②と同等の資格があると認める者。

試験概要（区分：国税専門A（法文系）、国税専門B（理工・デジタル系））

1次試験	基礎能力試験（多肢選択式）	〈知能分野〉文章理解、判断推理、数的推理、資料解釈 〈知識分野〉自然・人文・社会に関する時事、情報
	専門試験（多肢選択式）	〈必須〉A区分：民法・商法、会計学（簿記を含む）の2科目4題 B区分：基礎数学、民法・商法、会計学の3科目16題 〈選択必須〉A区分のみ：民法・商法、会計学（簿記を含む）、憲法・行政法、経済学、英語から4科目（各6題計24題）以上選択 〈選択〉A区分：財政学、経営学、政治学・社会学・社会事情、商業英語、〈選択必須〉で未選択の科目から、12題を自由に選択 B区分：情報数学・情報工学、統計学、物理、化学、経済学、英語から24題を選択
	専門試験（記述式）	A区分：憲法、民法、経済学、会計学、社会学から1科目選択 B区分：科学技術に関連する領域

2次試験	人物試験	人柄、対人的能力などについての個別面接 性格検査（人物試験の参考のため実施）
	身体検査	主として一般内科系検査（呼吸器、循環器などの検査項目について、視診・問診・聴打診を行う）

●日本の税制の根幹を支える

国税専門官とは、法律や経済、会計等の専門知識を使って、**内国税の賦課・徴収等を行う**、税のスペシャリストで、業務によって、**国税調査官、国税徴収官、国税査察官**に分かれています。

国税調査官は納税する個人、法人（会社）などが適正に税金を申告しているかどうかの調査・指導などを行います。国税徴収官は、定められた期限までにきちんと税金が納められていない場合に、**税金の督促、滞納処分**や**納税の指導**などを行います。国税査察官は、悪質な**脱税の疑い**がある場合に、その捜索、差し押さえのほか、刑事罰を問う場合には必要な準備をし、告発なども行います。

受験スケジュール

2月下旬～3月下旬 出願手続き
↓
5月下旬 第1次試験
↓
6月下旬～7月上旬 第2次試験
↓
8月中旬 最終合格発表

●国税専門官への道のり

採用後は、専門官基礎研修を**税務大学校で**受け、全国に11か所ある国税局（沖縄は国税事務所）管内の税務署に配属されます。一定の実務経験や研修を経て、晴れて国税専門官に任用されます。

●国際化への対応も進む

外国税務当局と情報交換をする国税庁国際業務課などでは、海外勤務があります。

試験のここが知りたい！

2025（令和7）年度からは、A区分のみ、専門試験（多肢選択式）が見直されます。必須科目は各2題の計4題となるほか、新たに設けられた選択必須科目から4科目（各6題計24題）以上選択し、残りの12題を選択科目と未選択の選択必須科目から選ぶことになります。

14 労働基準監督官（大卒程度）

労働者の健康と安全を守り、安心できる環境をつくる

試験の程度　大学卒業程度
職種　文・理系専門職
年齢制限　30歳未満

＊受験資格・試験概要の内容については変更の場合があるので、必ず試験要項で確認してください。

受験資格

①試験が実施される年の4月1日現在で、21歳以上30歳未満の者。
②21歳未満の者で、試験の翌年3月までに大学を卒業および卒業見込みの者。
③人事院が②と同等の資格があると認める者。

試験概要　（区分：労働基準監督A（法文系）、労働基準監督B（理工系））

1次試験	基礎能力試験（多肢選択式）	〈知能分野〉文章理解、判断推理、数的推理、資料解釈 〈知識分野〉自然・人文・社会に関する時事、情報
	専門試験（多肢選択式）	〔労働基準監督A（法文系）〕 〈必須〉労働法、労働事情（就業構造、労働需給、労働時間・賃金、労使関係）の12題 〈選択〉憲法、行政法、民法、刑法、経済学、労働経済・社会保障、社会学の36題から28題選択
		〔労働基準監督B（理工系）〕 〈必須〉労働事情（就業構造、労働需給、労働時間・賃金、労使関係、労働安全衛生）の8題 〈選択〉工学に関する基礎（工学系に共通な基礎としての数学、物理、化学）の38題から32題選択
	専門試験（記述式）	〔労働基準監督A（法文系）〕 労働法、労働事情（就業構造、労働需給、労働時間・賃金、労使関係）の各1題
		〔労働基準監督B（理工系）〕 〈必須〉工業事情1題 〈選択〉工学に関する専門基礎3～5題のうちから1題

2次試験	人物試験	人柄、対人的能力などについての個別面接 性格検査（人物試験の参考のため実施）
	身体検査	主として一般内科系検査（呼吸器、循環器などの検査項目について、視診・問診・聴打診を行う）

●働く人の健康と安全を守る

労働基準監督官は、労働基準行政を担う専門職で、労働者のための**安心・安全な職場環境**を実現するために活躍しています。

具体的には、職場に立ち入り、労働環境や労働条件の調査・相談を行い、必要に応じて改善命令や指導等を行う**臨検監督業務**を担当しています。また、違法の疑いがある事業所の取り調べや強制捜査等を行う**司法警察業務**、職場の安全衛生を維持するための**安全衛生業務**、労働者災害補償保険法に基づく**労災補償業務**なども行っています。

受験スケジュール

2月下旬～3月下旬　出願手続き
↓
5月下旬　第1次試験
↓
7月中旬　第2次試験
↓
8月中旬　最終合格発表

●配属先は全国におよぶ

配属先は全国の都道府県労働局、労働基準監督署で、その後、厚生労働省も含めて、随時異動となります。異動することで**経験**を積み、努力次第では、都道府県労働局長、労働基準監督署長などの幹部に昇進することもできます。

試験のここが知りたい！

1次試験の専門試験（多肢選択式）の配点比率は全体の4割強と高いウエイトを占めています。特に必須科目に関わる労働関連法規の学習はしっかりとしておく必要があります。学習にあたっては、制度主旨→要件→効果→具体的内容という流れで整理しながら、基本的事項の修得に励んでください。改正点にも十分注意して学習をすすめましょう。

15 法務省専門職員（人間科学）（大卒程度）

心理の専門知識を生かして非行少年等の矯正指導を行う

試験の程度：大学卒業程度
職種：文系専門職
年齢制限：30歳未満　40歳未満

＊受験資格･試験概要の内容については変更の場合があるので、必ず試験要項で確認してください。

受験資格

〔矯正心理専門職〕

①試験が実施される年の4月1日現在で、21歳以上30歳未満の者。

②21歳未満の者で、試験の翌年3月までに大学を卒業および卒業見込みの者、または人事院が同等の資格があると認める者。

〔法務教官、保護観察官〕

①②は矯正心理専門職と同様。

③21歳未満の者で、試験の翌年3月までに短期大学または高等専門学校を卒業および卒業見込みの者、または人事院が同等の資格があると認める者。

〔法務教官（社会人）〕

試験が実施される年の4月1日現在で、30歳以上40歳未満の者。

※矯正心理専門職と法務教官の区分では、男女別に採用される。

試験概要　（区分：矯正心理専門職、法務教官、保護観察官）

1次試験	基礎能力試験 （多肢選択式）	〈知能分野〉文章理解、判断推理、数的推理、資料解釈 〈知識分野〉自然・人文・社会に関する時事、情報
	専門試験 （多肢選択式）	〔矯正心理専門職〕 〈必須〉心理学に関連する領域 〈選択〉心理学、教育学、福祉及び社会学に関する基礎（心理学、教育学、福祉、社会学）
		〔法務教官、保護観察官〕 心理学、教育学、福祉及び社会学に関する基礎（心理学、教育学、福祉、社会学）
	専門試験 （記述式）	〔矯正心理専門職〕 心理学に関連する領域

		〔法務教官、保護観察官〕 心理学・教育学・福祉・社会学に関連する領域から1題を選択
2次試験	人物試験	人柄、対人的能力などについての個別面接（矯正心理専門職は、心理臨床場面において必要になる判断力等についての質問も含む） 性格検査（人物試験の参考のため実施）
	身体検査	〔矯正心理専門職・法務教官のみ実施〕 主として一般内科系検査（呼吸器、循環器、眼、言語、聴器などについて、視診・問診・聴打診を行う）
	身体測定	〔矯正心理専門職・法務教官のみ実施〕視力についての測定

※身体検査・身体測定において、裸眼視力がどちらか１眼でも0.6に満たない者（両眼矯正視力が1.0以上であればよい）は、矯正心理専門職と法務教官の区分では不合格となる。

●矯正指導に従事する専門職

法務省専門職員採用試験は、法務省において**人間科学の知識**が必要な職務に従事する職員を採用する試験です。区分は、**矯正心理専門職、法務教官、保護観察官**の３つがあります。

矯正心理専門職は、非行少年や受刑者の立ち直りに向けた処遇指針の提示、**改善指導プログラム**の実施に携わり、法務教官は非行少年や受刑者の**社会復帰**のための指導・教育を行います。また保護観察官は、犯罪を犯した人や非行少年の**再犯・再非行を防ぎ**、改善更生を図るための業務を行います。

受験スケジュール

2月下旬～3月下旬 出願手続き
↓
5月下旬　第１次試験
↓
7月上旬　第２次試験
↓
8月中旬　最終合格発表

試験のここが知りたい！

基礎能力試験は、国家公務員一般職試験と同様に考えてよいでしょう。全体の配点の約６割を占める専門試験では、教育、心理に関する分野の科目（大学の教職課程程度の内容）の克服が重要です。また、人物試験対策として、日頃から少年犯罪に関する社会問題について高い関心を持つよう心がけましょう。

16 外務省専門職員（大卒程度）

外務省の中堅職員として外交を支える

試験の程度：大学卒業程度

職種：文系専門職

年齢制限：30歳未満

＊受験資格・試験概要の内容については変更の場合があるので、必ず試験要項で確認してください。

受験資格

①試験が実施される年の4月1日現在で、21歳以上30歳未満の者。
②21歳未満の者で、大学、短期大学、高等専門学校を卒業した者または試験の翌年3月までに卒業見込みの者。
③人事院が②と同等の資格があると認める者。

試験概要

1次試験	専門試験（記述式）	国際法〈必須〉、憲法または経済学のうちいずれか1科目〈選択〉（各科目3題出題、うち各科目2題選択解答）
	時事論文試験（記述式）	時事問題についての筆記試験
	基礎能力試験（多肢選択式）	知能分野および知識分野
	外国語試験（記述式）	外国語和訳、和文外国語訳（＊外国語試験は、英語・フランス語・ドイツ語・ロシア語・スペイン語・ポルトガル語・イタリア語・アラビア語・ペルシャ語・ミャンマー語・タイ語・ベトナム語・インドネシア語・中国語・朝鮮語のうちから1か国語を選択）
2次試験	外国語試験（面接）	外国語会話（1次試験で受験した外国語で実施）
	人物試験	個別面接（2回）・グループ討議 性格検査（個別面接の参考のため実施）
	身体検査	胸部X線撮影などを含む一般的な身体検査

※基礎能力試験、人物試験で合格点に達しない場合は、他の科目の成績と関係なく不合格になる。

●世界各地が活躍の場

外務省専門職員は、外務省や世界各地にある**大使館**、**総領事館**などの在外公館において働いています。通常、**外交官**と呼ばれます。その仕事は、外国との経済、安全保障、環境問題に関する交渉、日本を外国の人に理解してもらうための情報提供、そして海外に住む日本人の生命・身体を守ることなどです。

世界の国々との距離は縮まっていますが、利害の対立はなくなっていません。複雑な国際情勢の中で、国を代表して相手国と粘り強く交渉をすすめていく外交官には、**体力**と**気力**そして**判断力**が要求されます。

●研修後外交官補として海外へ

採用後は、外務事務官としてまず１か月間の国内研修を受け本省に配属されます。そこで１年程度勤務したのち、再び研修を受け、研修語の履修に適した国にある在外公館に外交官補として配属されます。配属地の大学などで２～３年の研修を受けて、修了後は、そのままその国の在外公館に勤務する場合、研修語を国語または通用語とする別の国の在外公館に勤務する場合、本省に戻る場合があります。その後は、**5～6年**ごとに**本省勤務**と**在外公館勤務**を繰り返していきますが、能力と勤務成績に応じて、幹部への道も開かれています。

受験スケジュール

3月下旬～4月上旬　出願手続き
↓
6月上旬　第１次試験
↓
7月中旬～下旬　第２次試験
↓
8月中旬　最終合格発表

試験のここが知りたい！

１次試験において、外国語の成績が優れていても、基礎能力試験が一定の合格基準に達していなければ不合格となりますので、基礎能力試験対策は重要です。特に知能分野は反復学習が必要ですので時間をかけて取り組みましょう。また、時事論文試験対策として、日頃から世界のニュースに関心を持ち、自分の考えをまとめるようにしておきましょう。

⑰ 財務専門官（大卒程度）

財政・金融の最前線で活躍する

試験の程度：**大学卒業程度**
職種：**文系専門職**
年齢制限：**30歳未満**

＊受験資格・試験概要の内容については変更の場合があるので、必ず試験要項で確認してください。

受験資格

①試験が実施される年の4月1日現在で、21歳以上30歳未満の者。
②21歳未満の者で、大学、短期大学、高等専門学校を卒業した者または試験の翌年3月までに卒業見込みの者。
③人事院が②と同等の資格があると認める者。

試験概要

1次試験	基礎能力試験（多肢選択式）	〈知能分野〉文章理解、判断推理、数的推理、資料解釈 〈知識分野〉自然・人文・社会に関する時事、情報
	専門試験（多肢選択式）	〈必須〉憲法・行政法、経済学・財政学・経済事情の2科目 〈選択〉民法・商法、統計学、政治学・社会学、会計学（簿記を含む）、経営学、英語、情報数学、情報工学から2科目選択
	専門試験（記述式）	憲法、民法、経済学、財政学、会計学から1科目選択
2次試験	人物試験	人柄、対人的能力などについての個別面接 性格検査（人物試験の参考のため実施）

●金融・財政の現場で働く

財務専門官は、財務省の出先機関である財務局において財政に関する業務を行い、金融庁の事務委任を受けて金融に関する業務を行う**財政・金融の専門家**です。

財務局は、**国有財産の有効活用**や**予算執行調査**などの財政に関する業務を行っています。国有地を住宅や公園の用地として地方自治体に貸しつけることもこの業務の一つとして行っています。

金融庁は、地方銀行・信用金庫などの中小の地域金融機関、保険会社・証券会社・貸金業者・証券取引者等を**監督**しています。その他に地域経済情勢の調査・分析、財務省・金融庁の施策の広報も行います。

厳しい財政状況が続いている中、適切な金融・財政施策が行われるために、財務専門官には重要な役割が課されています。

●全国の財務局に配属される

財務専門官の採用試験に合格した後は、まず、約２か月間の研修を受けます。財務省職員としての基礎知識だけでなく、ビジネスマナーや配属先ごとの実務的な講義を受けます。その後、係員として全国に９か所ある**財務局**や、**福岡財務支局**および**沖縄総合事務局財務部**に配属されます。財務省も含めて異動しながら実務経験を積む間にも、海外研修、国内外留学も含めた必要な研修を受け、８～９年目には適性と実績に応じて昇任の道が開かれています。

受験スケジュール

3月上旬～中旬　出願手続き
⬇
6月上旬　第１次試験
⬇
7月上旬　第２次試験
⬇
8月中旬　最終合格発表

試験のここが知りたい！

基礎能力試験は、知能分野の出題割合が高いので、他の試験同様、数的推理、判断推理の克服が重要です。また、文章理解の出題数も多いので、短い時間で読みこなすという練習が必要です。専門試験は多肢選択式と記述式、それぞれに別々の対策が必要です。ただし、１次試験の合否の判定は、基礎能力試験と多肢選択式の専門試験で合格者を判定し、記述式の専門試験の結果は１次試験合格者を対象として評定した上で、最終合格者の決定に反映することになっているため、まず、基礎能力試験と多肢選択式の力をつけることが重要です。

18 食品衛生監視員（大卒程度）

輸入食品の安全を守るために水際での監視・検査を行う

試験の程度：大学卒業程度

職種：衛生専門職

年齢制限：30歳未満

＊受験資格・試験概要の内容については変更の場合があるので、必ず試験要項で確認してください。

受験資格

①試験が実施される年の4月1日現在で、21歳以上30歳未満の者で、次に掲げる者。

1. 大学で薬学、畜産学、水産学または農芸化学の課程を修めて卒業した者および試験の翌年3月までに卒業見込みの者。
2. 都道府県知事（平成27年4月1日前は厚生労働大臣）の登録を受けた養成施設で所定の課程を修了した者および試験の翌年3月までに修了見込みの者。

②21歳未満の者で、①1.の者および2.の者であって大学を卒業した者および試験の翌年3月までに卒業見込みの者。

③人事院が②と同等の資格があると認める者。

試験概要

1次試験	基礎能力試験（多肢選択式）	〈知能分野〉文章理解、判断推理、数的推理、資料解釈 〈知識分野〉自然・人文・社会に関する時事、情報
	専門試験（記述式）	分析化学、食品化学から1題、微生物学、毒性学から1題、公衆衛生学、食品衛生学から1題（計6題のうち3題を選択）
2次試験	人物試験	人柄、対人的能力などについての個別面接 性格検査（人物試験の参考のため実施）

●輸入食品の監視・検疫を行う

我が国の食料は、カロリーベースで約60％を輸入に頼っており、輸入食品は国民に欠かせないものとなっています。我が国では、販売または営業を目的として食品を輸入する場合には、全国32か所にある**検疫所食品監視窓口に届け**

出なければなりません。

食品衛生監視員は、**届出書の記載事項をチェック**し、輸入された食品が国内の規制に適合しているか、必要な検査が行われているかなどを検査します。その結果、**違法**が疑われるような場合には、必要に応じて食品を検査したり業者を指導したりします。このような業務を通して、**輸入食品の安全性の確保**のために働きます。

●食品衛生法を熟知する

食品衛生監視員として採用されると、まず、**検疫所業務**の基礎的な知識を身につけ、公務員としての使命と心構えを習得するための初任者研修を受けます。また、**食品衛生法に関する知識の修得**のためのプログラムも実施されます。その後、全国にある検疫所に配属され、おおむね２年から３年ごとに異動します。厚生労働省や地方厚生局の食品衛生課などの部署に出向して勤務することもあります。一定の実務経験を経た後、職務内容や段階に応じた研修を受け、努力次第で、検疫所の課長等への昇任の道が開かれています。

食品衛生監視員は、輸入業者と接する機会が多いので、そこでのコミュニケーション能力と、**現場での的確な判断能力**が必要とされています。

受験スケジュール

2月下旬～3月下旬　出願手続き
⬇
5月下旬　第１次試験
⬇
7月中旬　第２次試験
⬇
8月中旬　最終合格発表

試験のここが知りたい！

専門試験は、記述式の３題しか実施されませんので、他の国家公務員試験と比べると配点がかなり少なくなっており、専門試験では差がつきにくいといえます。基礎能力試験でしっかりと点がとれるように対策をとることが必要です。基礎能力試験の内容は他の国家公務員試験と同様です。

19 国立国会図書館職員総合職・一般職

唯一の国立図書館で国会や国民の役に立つ情報を提供する

試験の程度：**大学卒業程度**

職種：**文系専門職**

年齢制限：**34 歳未満**

＊受験資格・試験概要の内容については変更の場合があるので、必ず試験要項で確認してください。

受験資格

〔総合職〕

①試験が実施される年の4月1日現在で、20歳以上34歳未満の者。

②20 歳未満で、大学を卒業した者または試験の翌年 3 月までに大学を卒業見込みの者。

③館長が②と同等の資格があると認める者。

〔一般職〕

①②は、総合職と同様。

③短期大学、高等専門学校を卒業した者または試験の翌年 3 月までに卒業見込みの者。

④館長が②③と同等の資格があると認める者。

試験概要（区分：総合職、一般職）

※ 総合職受験者は、受験申込み時に特例を希望すると、不合格の場合に一般職の受験者としての取り扱いを受けることができる。

1次試験	教養試験（多肢選択式）	一般的知識、知能を問う問題
2次試験	専門試験（記述式）	法学、政治学、経済学、社会学、文学、史学、図書館情報学、物理学、化学、数学、工学・情報工学、生物学のうちから 1 科目を選択
	英語試験（多肢選択式）	長文読解
	小論文試験	〔総合職のみ実施〕与えられた課題について（1,200 字）
	人物試験	個別面接（オンライン）、性格検査（人物試験の参考のため実施）

3次試験	人物試験	個別面接（対面）

●日本で唯一の国立図書館で働く

国立国会図書館は、**日本で唯一の国立図書館**で、一般の図書館とは異なる役割を持っています。大きく分けて、①法案の分析や国政審議に係る調査を行う**調査業務**、②国内外の資料を収集・保存する**司書業務**、③館の企画や予算の管理等を行う**一般事務業務**の３つの業務があります。

採用後は、国会議事堂近くの本館、京都府の関西館、東京都の国際子ども図書館の３つの施設のいずれかに配属され、転勤と異動を繰り返し、複数部署の業務を経験しながらさまざまなキャリアを重ねていきます。

●試験は狭き門

国立国会図書館職員の採用は、総合職、一般職ともに、原則として欠員補充による若干名です。**競争率が高く狭き門**のため、早めに試験準備をしましょう。

特に気をつけなければならないのは、英語の長文読解が試験に含まれていることです。世界の図書館との交流もあることから、英語力も必要とされています。英語が苦手な人は、十分な対策をする必要があります。

受験スケジュール

2月上旬～中旬　出願手続き
↓
3月下旬　第１次試験
↓
4月下旬～5月上旬　第2次試験
↓
6月上旬　第３次試験
↓
6月中旬以降　最終合格発表

試験のここが知りたい！

１次試験は教養試験のみですので、採用人数の少ないことも考え合わせるとかなり高い得点をとる必要があります。２次試験は記述式と小論文という読解力と文章力が問われる試験です。新聞や論文集など多くの文章を読んで力をつけ、試験が近づいたら、明確かつ簡潔に文章を書く訓練を積んでおきましょう。なお、試験の申込み方法が、原則、受験申込みフォームからのオンライン申込みになりましたので注意してください。

20 裁判所職員総合職（院卒者／大卒程度）

事務官・調査官として裁判所の裁判や調停を支える

試験の程度：院卒者 大卒程度
職種：事務系 専門職
年齢制限：29 30歳未満

＊受験資格・試験概要の内容については変更の場合があるので、必ず試験要項で確認してください。

受験資格		
受験資格	院卒者	①試験が実施される年の4月1日現在で、30歳未満の者で、大学院修士課程または専門職大学院専門職学位課程を修了した者および試験の翌年3月までに修了する見込みの者。 ②最高裁判所が①と同等の資格があると認める者。
	大卒程度	①試験が実施される年の4月1日現在で、21歳以上30歳未満の者。 ②21歳未満で、試験の翌年3月までに卒業および卒業見込みの者。 ③最高裁判所が②と同等の資格があると認める者。

試験概要（区分：裁判所事務官、家庭裁判所調査官補）

※「裁判所事務官」区分受験者は、受験申込み時に特例を希望すると、不合格の場合に一般職（大卒程度）受験者としての取り扱いを受けることができる。その場合、院卒者および大卒程度の2次試験に小論文試験が加わる。

1次試験	基礎能力試験（多肢選択式）	知能分野および知識分野（ただし、知能分野中心）
	専門試験（多肢選択式）	〔裁判所事務官のみ実施〕 〈必須〉憲法、民法〈選択〉刑法、経済理論、行政法から1科目
2次試験	論文試験（小論文）	〔裁判所事務官（特例希望者）〕 文章による表現力、課題に対する理解力などについて
	専門試験（記述式）	〔裁判所事務官〕 〈必須〉憲法、民法、刑法 〈選択（院卒者のみ）〉民事訴訟法または刑事訴訟法
		〔家庭裁判所調査官補〕 〈選択〉心理学系、社会学系、福祉系、教育学系、法律学系の5領域の合計15題から2題
	政策論文試験（記述式）	組織運営上の課題を理解し、解決策を企画立案する能力などについて

2次試験	人物試験	〔裁判所事務官〕 人柄、資質、能力などについての個別面接
		〔家庭裁判所調査官補〕 I（個別面接）、II（集団討論と個別面接）
3次試験	人物試験	〔裁判所事務官のみ実施〕 人柄、資質、能力などについての集団討論および個別面接

●裁判事務や事件の調査を担当

裁判所事務官は、裁判所書記官のもとで**裁判事務**を担当したり、事務局で**一般事務**に従事します。

一定期間従事すると、裁判所書記官養成課程の研修所入所試験を受験できます。総合職の合格者は、筆記試験の全部（院卒）または一部（大卒）が免除されます。研修を修了すると、**裁判所書記官**に任命されます。

家庭裁判所調査官補は、採用後すぐ２年間の研修を受け、**家庭裁判所調査官**に任命されます。その後は、配属先の家庭裁判所で、家庭に関する事件の面接調査や関係機関との調整を行います。

受験スケジュール

３月中旬～４月上旬　出願手続き
⬇
５月中旬　第１次試験
⬇
６月上旬～中旬　第２次試験＊
⬇
７月中旬　第３次試験
（裁判所事務官）
⬇
７月中旬　最終合格発表
（家庭裁判所調査官補）
⬇
７月下旬　最終合格発表
（裁判所事務官）

＊２次試験のうち専門試験の憲法および論文試験は１次試験と同日に実施される。

裁判所は裁判を担当する「**裁判部門**」と人事などを行う「**司法行政部門**」があり、異動と昇進は相互間でも行われます。

試験のここが知りたい！

2025（令和 7）年度より、専門試験が変更になります。多肢選択式の「憲法」の出題数が 7 題から 10 題に、「民法」の出題数が 13 題から 10 題になります。また、多肢選択式の選択科目が、これまでの「刑法」「経済理論」だけでなく「行政法」を加えた 3 つから、選択することができるようになります（→ p.10）。

21 裁判所職員一般職（大卒程度／高卒者）

各地の裁判所で裁判事務と一般事務を担当する

試験の程度：大学卒業程度
試験の程度：高校卒業程度
職種：事務系専門職
年齢制限：30歳未満（29）／20歳未満（19）

＊受験資格・試験概要の内容については変更の場合があるので、必ず試験要項で確認してください。

受験資格

大卒程度

①試験が実施される年の4月1日現在で、21歳以上30歳未満の者。
②21歳未満の者で試験の翌年3月までに大学、短期大学または高等専門学校を卒業および卒業見込みの者。
③最高裁判所が②と同等の資格があると認める者。

高卒者

①試験が実施される年の4月1日現在で、高等学校または中等教育学校を卒業した日の翌日から起算して2年を経過しない者および試験の翌年3月までに卒業見込みの者。
②最高裁判所が①に準ずると認める者。

試験概要

1次試験	基礎能力試験（多肢選択式）	知能分野および知識分野
	専門試験（多肢選択式）	〔大卒程度のみ実施〕 〈必須〉憲法、民法 〈選択〉刑法、経済理論、行政法から1科目
	作文試験	〔高卒者のみ実施〕 文章による表現力、課題に対する理解力などについて
2次試験	論文試験（小論文）	〔大卒程度のみ実施〕 文章による表現力、課題に対する理解力などについて
	人物試験	人柄、資質、能力などについての個別面接

●裁判所の事務を担当

裁判所職員一般職として採用された場合は、**裁判所事務官**として裁判部門において**裁判事務**を行ったり、裁判所の事務局で**一般事務**を行ったりします。総合職の場合と異なり、**第２次試験を受けた場所**を管轄する高等裁判所の管轄区域内が勤務地となるので、試験地を選んで受験すれば、希望する地域で働くことができ、遠方への転勤の心配もありません。

●特例制度での受験

裁判所職員一般職は、総合職の受験申込みの際に、**特例**を希望して受験することが可能です。**特例**の申込みをしておくと、総合職として合格できなかった場合に、**総合職の試験の結果で、一般職を受験した者としての合否判定がなされる**というものです。１回の試験で２つの試験を受けたのと同じになります。特例で一般職に合格したことによる不利益はありませんので、裁判所で働きたいという希望が強い人は受験申込み時に忘れずに手続きしましょう。

受験スケジュール

〔大卒程度〕

3月中旬～4月上旬　出願手続き
↓
5月上旬　第1次試験
　　　　　第2次試験（筆記）
↓
6月上旬～7月上旬　第2次試験
　　　　　　　　　（人物試験）
↓
7月下旬　最終合格発表

〔高卒者〕

7月上旬　出願手続き
↓
9月上旬　第1次試験
↓
10月中旬～下旬　第2次試験
↓
11月上旬　最終合格発表

試験のここが知りたい！

大卒程度は、2025（令和7）年度より憲法の記述式がなくなり、全て多肢選択式になります。また、総合職と同様に、多肢選択式の「憲法」の出題数が7題から10題に変わります。また、多肢選択式の選択科目が、これまでの「刑法」「経済理論」だけでなく「行政法」を加えた3つから、選択することができるようになります（→ p.10）。

22 衆議院事務局職員　総合職・一般職

事務局職員として衆議院の活動を支える

試験の程度：大学卒業程度
試験の程度：高校卒業程度
職種：事務職
年齢制限：30歳未満（29）／21歳未満（20）

＊受験資格・試験概要の内容については変更の場合があるので、必ず試験要項で確認してください。

受験資格

大卒程度

〔総合職〕〔一般職〕

①試験が実施される年の4月1日現在、21歳以上30歳未満の者。
②21歳未満の者で、大学を卒業した者および試験の翌年3月までに大学を卒業する見込みの者。
③衆議院事務局が②と同等の資格があると認める者。

高卒程度

〔一般職〕

試験が実施される年の4月1日現在、17歳以上21歳未満の者。

試験概要〔総合職・一般職（大卒程度）〕

1次試験	基礎能力試験（多肢選択式）	文章理解、判断・数的推理（資料解釈を含む）、自然・人文・社会（時事を含む）
	専門試験（多肢選択式）	〈必須〉憲法 〈選択〉行政法、民法、刑法、労働法、経済理論、経済政策・経済事情、財政学、統計学、政治学・行政学、国際関係
2次試験	専門試験（論文・記述式）	〈必須〉憲法 〈選択〉行政法、民法、経済学、政治学から1題
	面接試験	〔総合職のみ実施〕個別面接
3次試験	口述試験	〔総合職のみ実施〕
	集団討論、個別面接試験	〔一般職のみ実施〕

試験概要〔一般職（高卒程度）〕

1次試験	基礎能力試験（多肢選択式）	文章理解、判断・数的推理（資料解釈を含む）、自然科学、人文科学、社会科学（時事を含む）
	作文試験	—
2次試験	面接試験	個別面接

※基礎能力試験の点数が基準点に達した者のみ作文試験が採点される。

●衆議院の活動を支える存在

衆議院事務局は、衆議院の事務を自律的に処理するために設置された機関で、そこで働く職員は、**国会の立法活動を補佐**するさまざまな仕事に従事しています。事務局職員には、国会がスムーズに運営されるために、迅速かつ的確に事務処理をすすめていくことが求められており、**議会制民主主義を陰で支える**重要な存在といえます。

具体的な仕事としては、連絡や書類作成などの**会議運営部門**、議員立法に関する**調査部門**、議員や議員秘書の庶務管理といった**活動補佐部門**の３つに分けられます。

●議事堂周辺で働く

衆議院事務局職員として採用されると、国会職員として必要な基礎知識を修得する必要性から、例年、約１週間にわたる衆議院事務局独自の初任研修を受けることになります。研修後は、さまざまな経験が必要とされるため、しばら

受験スケジュール

〔総合職　大卒程度〕
２月下旬～３月上旬 出願手続き
↓
３月下旬　第１次試験
↓
４月中旬～下旬　第２次試験
↓
５月下旬　第３次試験
↓
６月中旬　最終合格発表

〔一般職　大卒程度〕
４月上旬～中旬　出願手続き
↓
５月下旬　第１次試験
↓
６月上旬　第２次試験
↓
７月中旬～下旬　第３次試験
↓
９月上旬　最終合格発表

〔一般職　高卒程度〕
６月下旬～７月中旬 出願手続き
↓
８月下旬　第１次試験
↓
９月上旬～中旬　第２次試験
↓
10月中旬　最終合格発表

くは、数年のサイクルで部署を異動することになります。その後、適性や希望などを考慮して配属先が決定します。

勤務地は**国会議事堂内**、あるいはその周辺（衆議院分館、第一議員会館、第二議員会館、第一別館、第二別館など）となるため、基本的に転勤はありません。しかし、例外として、主に若手職員を対象とする行政官庁との人事交流の対象者となった場合は、２～３年程度を任期として、地方勤務となる可能性もあります。

なお、一般職（高卒程度）の場合、原則として一般事務に従事します。

●充実した研修制度

実務についた後も、係員、係長級など、役職ごとに階層別研修が実施されているため、多くの研修の機会に恵まれています。また海外派遣研修も用意されており、各国議会制度調査等を目的とした短期研修（８日～１か月間）、大学院等への留学を目的とした長期研修（１年間または２年間）によって、幅広い専門知識の修得や国際感覚を養うことができます。

そのほか議院運営および立法調査に関する専門的な知識・能力を修得し、職務を能率的に遂行できるよう、**国内の国立大学院等への派遣研修**も行われています。

試験のここが知りたい！

衆議院事務局職員は、立法機関に所属する職務につくため、大卒程度の１次試験、２次試験ともに法律関係の専門試験が課されており、しかも多肢選択式、論文・記述式とさまざまな形式で、多角的な知識や理解が求められますので、時間をかけて学習する必要があります。なお、2023（令和5）年度の試験より、試験科目が変更になっていますので注意が必要です。

高卒程度の場合の筆記試験は、基礎能力試験と作文試験ですが、基礎能力試験が基準点に達することが合格の条件です。過去問題集を繰り返し解いて、基礎能力試験の対策を充実させましょう。なお、一般職（高卒程度）は衛視試験（→ p.126）と併願できません。

また、技術系職員は国家公務員採用一般職の合格者から採用されます。

23 参議院事務局職員　総合職・一般職

参議院の活動を事務レベルでサポートする

試験の程度：大学卒業程度
試験の程度：高校卒業程度
職種：事務職・技術職
年齢制限：30歳未満（29）／21歳未満（20）

＊受験資格・試験概要の内容については変更の場合があるので、必ず試験要項で確認してください。

受験資格

大卒程度

〔総合職／事務〕

①試験が実施される年の4月1日現在、21歳以上30歳未満の者。
②21歳未満の者で、大学を卒業した者および試験の翌年3月までに大学を卒業する見込みの者。
③参議院事務局が②と同等の資格があると認める者。

高卒程度

〔一般職〕

試験が実施される年の4月1日現在、17歳以上21歳未満の者。

試験概要〔総合職／事務（大卒程度）〕

1次試験	共通	基礎能力試験（多肢選択式）	＜一般的知識分野（時事を含む）＞社会科学、人文科学、自然科学、情報＜知能分野＞文章理解、判断推理・数的推理・資料解釈
	事務	専門試験（多肢選択式）	憲法、行政法、民法、刑法、労働法、経済政策、経済理論、経済事情・経済史、財政学、統計学・計量経済学、国際関係、政治学・行政学の80題から40題解答
2次試験	事務	専門試験（論文式）	〈選択〉憲法、行政法、民法、政治学、経済理論、財政学、経済政策から2題
	共通	人物試験	集団面接、性格検査（人物試験の参考のため実施）
3次試験	共通	人物試験	個別面接、任意で外部英語試験スコア提出（人物試験の参考のため）

※総合職（技術）については、2024年度は独自の試験は行わず、国家総合職（工学区分）の最終合格者より選出している。

試験概要〔一般職（高卒程度）〕

1次試験	基礎能力試験（多肢選択式）	一般的知識・知能 社会科学（時事を含む）、人文科学、自然科学、文章理解、判断推理・数的推理・資料解釈
	一般常識試験（短文記述式）	一般常識
	作文試験	
	事務適性試験	
2次試験	人物試験	個別面接 性格検査（人物試験の参考のため実施）

※基礎能力試験及び事務適性試験の点数が基準点に達した者のみ、一般常識試験及び作文試験が採点される。

●議会の運営をサポート

参議院事務局職員は、運営面から会議体をサポートする**会議運営部門**、政策立案を支援する議会シンクタンクである**調査部門**、広報活動や院の国際交流など多角的に院の活動をサポートする**総務部門**の3部門に分かれています。

具体的には、議院活動の補佐として、参議院の本会議の運営、各委員会の法律案等の審議、国政調査、議事手続に関する事務、会議資料の作成､各会派･各省庁といった各方面との連絡調整、議員からの依頼による調査、庶務管理事務などに従事しています。

原則として、**入局後10年**程度で会議運営部門、調査部門、総務部門の**3部門すべてで業務を経験**します。そして、それぞれの**専門性を育成**したうえで、各自の**適性や能力、意欲**に応じて、各部門での業務に従事することになります。

昇任は、勤務成績などを考慮したうえで、**採用後4年3か月**を目安として**係長**に昇任します。幹部職員への昇任は、本人の能力・意欲等に応じて行われます。

また、勤務先は、人事交流による地方勤務を除いて、衆議院事務局職員と同様に、**国会議事堂内とその周辺施設のみ**となっています。

なお、参議院事務局の一般職採用者（高卒程度）は、基本的に会議運営事務、**調査事務以外の一般事務**に従事し、参議院のすべての活動が円滑に行えるように**補佐**するのが主な役割です。

●職員の成長を促す研修制度

参議院の活動を多面的に支える

ために、職員がそれぞれの能力を最大限に発揮できるよう多くの研修プログラムが用意されています。

ストレスをコントロールする知識とスキルを学ぶ**レジリエンス研修**、部下・後輩とのコミュニケーションの技法を学ぶ**コーチング入門**など、心理面に目を向けたプログラムや、英会話能力を高めるためのプログラム、法令を立案するために必要な知識、技術を身につけるための**法制局立案研修**や、**説明能力向上研修**など、職務に関連するプログラムなどがあります。

また、他省庁など外部の機関が実施する研修に参加する**外部機関研修**、英国議会事務局、欧州評議会議員会議事務局など参議院との間で合意のある外国の議会、国際機関等への職員を派遣する**海外特定機関派遣研修**、国内の大学院で研究に従事することで、立法調査及び議院運営に関する専門的知識等を修得する**国内大学院派遣研修**、海外の大学院で議会制度・国際問題等の研究に従事することにより、専門的知識を習得し、国際的視野を養う**海外大学院派遣研修**など、参議院の外で学ぶ研修プログラムも充実しています。

受験スケジュール

［総合職（事務）（大卒程度）］

2月上旬～下旬　出願手続き
↓
3月上旬　第1次試験
↓
4月上旬～中旬　第2次試験
↓
6月上旬以降　第3次試験
↓
7月上旬以降　最終合格発表

〔一般職（高卒程度）〕

6月中旬～7月上旬　出願手続き
↓
8月中旬　第1次試験
↓
9月中旬以降　第2次試験
↓
10月下旬以降　最終合格発表

試験のここが知りたい！

2024（令和6）年度より、総合職の試験が変更となりました。受験年齢が30歳未満までに引き上げられたほか、専門試験（多肢選択式）が問題単位で選択可能になり、専門試験（論文式）の必須問題がなくなりました。さらに、法律・経済の区分選択制が廃止となりました。

24 税務職員（高卒程度）

税務事務の専門職として、適正公平な課税の維持のために働く

試験の程度
高校卒業程度

職種
事務職

年齢制限
21歳未満

＊受験資格・試験概要の内容については変更の場合があるので、必ず試験要項で確認してください。

受験資格

①試験が実施される年の４月１日現在で、高等学校または中等教育学校を卒業した日の翌日から起算して３年を経過しない者および試験の翌年３月までに卒業見込みの者。
②人事院が①に準ずると認める者。

試験概要

1次試験	基礎能力試験（多肢選択式）	〈知能分野〉文章理解、課題処理、数的処理、資料解釈 〈知識分野〉自然科学、人文科学、社会科学、情報
	適性試験（多肢選択式）	置換・照合・計算・分類などの比較的簡単な問題を時間内で、番号順に、できるだけ多く解答するスピード検査
	作文試験	文章による表現力、課題に対する理解力などをみる
2次試験	人物試験	人柄、対人的能力などについての個別面接 性格検査（人物試験の参考のため実施）
	身体検査	主として一般内科系検査（呼吸器、循環器などの検査項目について、視診・問診・聴打診を行う）

●税務関係のスペシャリスト

税務職員試験合格者の採用先は**国税庁**となりますが、まず最初に全員が**税務大学校地方研修所**に入校し、１年間の**寮生活**を送ることになります。ここでは、税務職員になるにあたって必要な各税法、簿記会計学、法学、商法などといった知識や技能を勉強しますが、加えて、多くの人たちとの関わりの中で、**協調性**や**連帯意識**を育成するためのものでもあります。

税務大学校卒業後は、各税務署で３年の実務を積んだあと、今

受験スケジュール

6月中旬～下旬　出願手続き
⬇
9月上旬　第1次試験
⬇
10月上旬～中旬　第2次試験
⬇
11月中旬　最終合格発表

度は調査・徴収事務に必要な知識や技能の習得を目的とした3か月間の研修を受けます。その後も、スキルアップのためのさまざまな研修が用意されており、税のスペシャリストとなるためのサポート体制が充実しています。

税務職員になると、国税局（国税事務所）および税務署において、**適正な課税の維持**や**租税収入の確保**のために、税務のスペシャリストとして、法律や経済、会計の専門分野の知識を駆使して、国税の賦課・徴収などの業務に従事します。これは、国の財政基盤を支え、国民生活の安定・向上と社会福祉に寄与する、極めて重要でやりがいのある仕事といえます。

●試験は基礎的知識と人柄を重視

平成23年度まで、高卒程度の税務職員採用試験は、旧国家公務員Ⅲ種試験（税務区分）として実施されていましたが、平成24年度から国家公務員専門職試験の区分に変更されました。

試験の内容としては、主に**基礎学力**を問うものなので、**高校までの全科目**をしっかりと勉強しておく必要があります。

また、面接試験にも重点がおかれており、平成27年度より人物試験の得点化が行われました。日頃から積極的に人と関わり、コミュニケーション能力を磨いておく必要があります。

試験のここが知りたい！

1次試験の合格は、基礎能力試験のでき次第といってよいでしょう。知能分野では文章理解と課題処理が出題のうちの7割を占めています。どちらも問題を読むことに時間がかかります。読みとる速さと正確さを養う必要があります。過去問題をたくさんこなしてスピードアップをはかりましょう。また、知識分野は範囲が広いですから、過去問題を見て、よく出題される内容を把握して効率よく学習するとよいでしょう。

25 防衛省専門職員（大卒程度）

国際関係、地域情勢、軍事情勢に関する情報を扱う

試験の程度：**大学卒業程度**
職種：**専門職**
年齢制限：**30歳未満**

＊受験資格・試験概要の内容については変更の場合があるので、必ず試験要項で確認してください。

受験資格

①試験が実施される年の4月1日現在で、21歳以上30歳未満の者。
②21歳未満の者で、大学、短期大学、高等専門学校を卒業した者または試験の翌年3月までに卒業見込みの者並びに防衛省がこれらの者と同等の資格があると認める者。

試験概要（区分：英語・ロシア語・中国語・朝鮮語・フランス語）

1次試験	基礎能力試験（多肢選択式）	〈知能分野〉文章理解、判断推理、数的推理、資料解釈 〈知識分野〉自然・人文・社会に関する時事、情報
	専門試験（記述式）	英語：英文解釈、語彙問題、英文法、英作文 ロシア語：露文和訳、和文露訳、露語文法 中国語：中文和訳、和文中訳、中国語文法 朝鮮語：朝文和訳、和文朝訳、朝鮮語文法 フランス語：仏文和訳、和文仏訳、仏語文法
	論文試験	課題に対する総合的な判断力、思考力及び表現力についての筆記試験
2次試験	口述試験	人柄、対人的能力などについての個別面接 性格検査（口述試験の参考のため実施）
	身体検査	主として胸部疾患（胸部X線撮影を含む）、尿、その他一般内科系検査

※区分は2024年度に採用試験があったものを掲載している。

●防衛の基礎を支える語学のエキスパート

平成30年度の試験から、試験区分「国際関係」が廃止され、英語、ロシア語、中国語、朝鮮語、フランス語、アラビア語などの特定の語学ごとに、これまでの区分「語学」と同様の採用試験が行われています。

採用後の主な業務は、特定の語学能力を生かした**防衛に関する行政事務、自衛官等の語学教育、海外資料の収集整理、通訳、国際関係や地域情勢および軍事情勢の情報収集と分析**などです。

勤務する機関は、本省内部部局、自衛隊、情報本部、地方防衛局などがあり、各部署によって異なりますが、異動や転勤もあります。また、外務省に出向して在外公館に勤務する場合やFMS（有償援助調達）業務で米国にて勤務など、海外勤務の可能性もあります。

受験スケジュール

4月上旬〜中旬　出願手続き
⬇
5月下旬　第1次試験
⬇
7月上旬〜中旬　第2次試験
⬇
7月下旬　最終合格発表

●語学力を問われる試験

試験内容としては、特に記述式の専門試験において、**語学力**が厳しく問われます。英語を選択した場合は、英文解釈、語彙、英文法、英作文などが出題され、ロシア語、中国語、朝鮮語、フランス語、アラビア語などを選択した場合は、和訳、各国語訳、文法などが出題されます。基礎を踏まえた語学力で臨まなければなりません。

試験のここが知りたい！

1次試験の基礎能力試験、専門試験ともに、基準点が設けられていることに注意してください。この基準点に達していない科目がある場合は合格とはなりません。基礎能力試験、専門試験ともに一定の得点を得ることができるように、まんべんなく学習しておく必要があります。2次試験の口述試験では、コミュニケーション能力はもちろんのこと、職務上、論理的思考ができるかといった点も評価対象となります。なお、試験区分の外国語は年度により変更される場合があるので、注意しましょう。

26 警察官

市民や公共の、安全と秩序の維持に携わる

- 試験の程度：**大学卒業程度**
- 試験の程度：**高校卒業程度**
- 職種：**公安職**
- 年齢制限 34：**自治体で異なる**

＊受験資格・試験概要の内容については自治体によって異なるので、必ず試験要項で確認してください。

受験資格

年齢制限のほか、身体的要件が設けられているが、近年は、身長、体重は廃止される傾向にある。自治体によって異なるが、年齢制限は、おおむね次のようになっている。（身体的要件→ p.53）

【警視庁の場合】

試験が実施される年の4月1日現在で、

①Ⅰ類（大学卒業程度）：35歳未満で大学卒業または試験の翌年3月までに卒業見込みの者。21歳以上35歳未満で大学卒業程度の学力を有する者。

②Ⅲ類（高校卒業程度）：35歳未満で高校卒業または試験の翌年3月までに卒業見込みの者。17歳以上35歳未満で高校卒業程度の学力を有する者。

（※Ⅱ類として短大卒業程度の試験を実施している自治体もある）

試験概要【警視庁の場合】

1次試験	教養試験（多肢選択式）	〈知能分野〉文章理解、判断推理、数的処理、資料解釈、図形判断 〈知識分野〉人文科学、社会科学、自然科学、一般科目（国語、英語、数学）
	論（作）文試験	課題式の論文試験または作文試験
	国語試験（五肢択一式）	職務に必要な国語力について
	資格経歴等の評定	所持する資格経歴等についての評定
	適性検査	警察官としての適性について記述式等の方法による検査

2次試験	身体検査	職務執行上、支障のある疾患の有無等についての検査
	体力検査	職務執行上、必要な体力の有無についての検査
	適性検査	警察官としての適性について記述式等の方法による検査
	面接試験	人物についての面接

●基本的な学力と高い身体能力が必要

警察官採用試験は、知能、知識、常識、文章作成や読解力、身体力、適性の有無など、あらゆる角度から受験者を検証する試験です。そこでは、**基本的な学力**だけでなく、職務遂行上不可欠な**身体能力**や、警察官になる上での**適性**が厳しく判定されます。

また、自治体によっては、スポーツや語学、情報処理関係、簿記などの資格の所有が、加点対象になります。

募集は、年1回の自治体が多いですが、採用者数の多い警視庁や神奈川県警などでは、年に2～3回実施しています。また、警視庁では、男性警察官の試験を1道17県で受けることのできる**共同試験**を実施して、地方での**受験の便宜**が図られています。

受験スケジュール（例）

3月中旬～4月下旬　出願手続き

↓

4月中旬　第1次試験

↓

5月中旬　第2次試験

↓

2次試験終了後おおむね70日後
最終合格発表

＊自治体によっては年2、3回試験を実施している。

試験のここが知りたい！

警視庁では、2025（令和7）年度の試験から、適性検査（SPI3）が導入され、従来の教養試験方式と適性検査方式の選択制となります。
また、教養試験の出題数が削減され、試験時間も短縮されます。知識分野は、社会科学（政治、社会、法律、経済）、一般科目（国語、英語）、時事問題からの出題に変更になります。さらに、論（作）文の時間も短縮され、国語試験は廃止となります。

27 消防官

消防、救急、人命救助によって地域住民を守る

試験の程度：大学卒業程度
試験の程度：高校卒業程度
職種：公安職
年齢制限：35 自治体で異なる

＊受験資格・試験概要の内容については自治体によって異なるので、必ず試験要項で確認してください。

受験資格

年齢制限や身長、体重、視力などの身体的要件が設けられているが自治体によって内容は異なる。学歴、学力レベルによる区分がなく、同じ採用試験を行う自治体もあるが、大卒程度の場合、試験が実施される年の4月1日現在で21歳以上という年齢制限、大学卒業または試験の翌年3月に卒業見込みという学歴要件のあるところが多い。男女別に区分されているところが多い。

【東京消防庁の場合】
試験が実施される年の4月1日現在で、
Ⅰ類（大学卒業程度）：21歳以上35歳未満の者、または21歳未満で大学を卒業している者または試験の翌年3月に卒業見込みの者。
Ⅲ類（高校卒業程度）：17歳以上21歳未満の者。

試験概要【東京消防庁の場合】

1次試験	教養試験（多肢選択式）	〈知能分野〉文章理解、語句の用法、英文理解、判断推理、空間概念、数的処理、資料解釈 〈知識分野〉人文科学、社会科学、自然科学
	論（作）文試験	課題式による論文試験または作文試験（800～1,200字）
	適性検査	消防官としての適性についての検査
2次試験	口述試験	個人面接
	身体・体力検査	消防官として職務遂行に必要な身体、体力及び健康度の検査として、視力、色覚、聴力、などを計測する。その他尿検査、胸部X線検査、心電図、血液検査による健康度の検査

※I類（1回目）では1次試験で教養試験または適性検査（SPI3）のどちらかを選べるようになった。

2次試験	身体・体力検査	1km 走、反復横とび、上体起こし、立ち幅とび、長座体前屈、握力、腕立て伏せによる検査

※1次試験では保有する資格やスポーツ・音楽の経歴による評定も行われる。

●災害から地域住民を守る

消防官になるには、市町村や各地の**消防本部が実施**する採用試験に合格することが条件で、採用されると、全寮制の消防学校に入校し、6～12か月程度の期間、教育を受け、消防官として必要な強い精神力と体力を身につけます。消防学校を出た後は各地の消防署に配属されます。

●募集は市町村単位

消防官採用試験は、**市町村単位で実施**されるのが主流です。東京都の場合は、ほぼ全域にわたり、東京消防庁が一括で採用しています。

1次試験の論（作）文試験や2次試験の口述試験は、市町村の事務職の試験とおおむね同じ内容ですが、2次試験では**身体検査**と**体力検査**などが課されます。体力検査では、1km 走、反復横とび、上体起こし、長座体前屈、握力、腕立て伏せなどが行われ、幅広く**身体能力の程度**を検証します。

受験スケジュール（例）

〔Ⅰ類（第1回）〕
3月中旬～4月上旬　出願手続き
↓
5月中旬　第1次試験
↓
6月中旬～下旬　第2次試験
↓
7月下旬　最終合格発表

〔Ⅲ類〕
7月上旬～8月上旬 出願手続き
↓
9月中旬　第1次試験
↓
10月下旬～11月上旬 第2次試験
↓
12月上旬　最終合格発表

試験のここが知りたい！

他の公務員試験と同様、教養試験の範囲は広いので、試験の準備は早く始めたほうがよいでしょう。あくまでも受験区分に応じた学力程度の試験ですから、過去の問題を参考にして出題傾向に応じた対策が効果的です。口述試験では、特に、志望動機について明確に答えることができるように準備しておいてください。

28 皇宮護衛官（大卒程度／高卒程度）

皇居や御所などの警備、天皇や皇族を護衛する

- 試験の程度：大学卒業程度
- 試験の程度：高校卒業程度
- 職種：公安職
- 年齢制限：30歳未満／23歳未満

＊受験資格・試験概要の内容については変更の場合があるので、必ず試験要項で確認してください。

受験資格	大卒程度	①試験が実施される年の4月1日現在で、21歳以上30歳未満の者。 ②21歳未満の者で、試験の翌年3月までに大学、短期大学または高等専門学校を卒業した者および卒業見込みの者。 ③人事院が②と同等の資格があると認める者。
	高卒程度	①試験が実施される年の4月1日現在で、高等学校または中等教育学校を卒業した日の翌日から起算して5年を経過しない者。 ②試験の翌年3月までに高等学校または中等教育学校を卒業見込みの者。 ③人事院が①②に準ずると認める者。

※大卒・高卒程度ともに身長、体重、視力などの身体的要件が設けられている。

試験概要

1次試験	基礎能力試験（多肢選択式）	〔大卒程度〕 〈知能分野〉文章理解、判断推理、数的推理、資料解釈 〈知識分野〉自然・人文・社会に関する時事、情報
		〔高卒程度〕 〈知能分野〉文章理解、課題処理、数的推理、資料解釈 〈知識分野〉自然科学、人文科学、社会科学、情報
	課題論文試験	〔大卒程度のみ実施〕文章による表現力、課題に対する理解力・判断力・思考力などについての筆記試験
	作文試験	〔高卒程度のみ実施〕文章による表現力、課題に対する理解力などについての筆記試験（※作文試験は、1次試験合格者を対象に評定し、最終合格者決定に反映される）

2次試験	人物試験	人柄、対人的能力などについての個別面接 性格検査（人物試験の参考のため実施）
	身体検査	主として胸部疾患（胸部X線撮影を含む）、血圧、尿、その他一般内科系検査
	身体測定	身長、体重、視力、色覚の測定
	体力検査	立ち幅跳び、反復横跳び、上体起こしによる身体の筋持久力等についての検査

●天皇や皇族の護衛と警備を行う

皇宮護衛官は、警察庁の附属機関である**皇宮警察本部に所属する警察庁職員**です。仕事は大きく**警備**と**護衛**と**警務**に分けられ、警備は皇居・御所などの警備を、護衛は天皇・皇族の身辺の警護を、警務は人事などを担当しています。配属先は主に、東京都、神奈川県、静岡県、栃木県、京都府、奈良県になります。

●採用人数が少ないため高倍率

皇宮護衛官は採用人数が少ないため、倍率が20～40倍前後と高く、難度の高い試験です。試験は**男女の区別なく実施**され、成績上位者から順に採用されます。

受験スケジュール

〔大卒程度〕

2月下旬～3月下旬　出願手続き
⬇
5月下旬　第1次試験
⬇
7月中旬　第2次試験
⬇
8月中旬　最終合格発表

〔高卒程度〕

7月中旬～下旬　出願手続き
⬇
9月下旬　第1次試験
⬇
10月下旬　第2次試験
⬇
11月中旬　最終合格発表

試験のここが知りたい！

1次試験の合格を決定する際には、基礎能力試験の成績が大きく影響します。基礎能力試験のレベルは国家一般職と同程度ですので、時間をかけて学習する必要があります。

29 入国警備官（高卒程度／社会人）

不法入国、不法就労をする外国人を取り締まる

試験の程度：高校卒業程度
職種：公安職
年齢制限：23歳未満（22）／40歳未満（39）

＊受験資格・試験概要の内容については変更の場合があるので、必ず試験要項で確認してください。

受験資格

年齢制限、視力などの身体的要件が設けられている。

〔警備官〕

①試験が実施される年の4月1日現在で、高等学校または中等教育学校を卒業した日の翌日から起算して5年を経過しない者および試験の翌年3月までに卒業見込みの者。

②人事院が①に準ずると認める者。

〔警備官（社会人）〕

試験が実施される年の4月1日現在で、40歳未満の者で、高等学校または中等教育学校を卒業した日の翌日から起算して5年以上経過した者および人事院が同等の資格があると認める者。

試験概要

1次試験	基礎能力試験（多肢選択式）	〈知能分野〉 文章理解、課題処理、数的処理、資料解釈 〈知識分野〉 自然科学、人文科学、社会科学、情報
	作文試験	文章による表現力や課題に対する理解力などについての試験
2次試験	人物試験	人柄、対人的能力などについての個別面接 性格検査（人物試験の参考のため実施）
	身体検査	主として胸部疾患（胸部X線撮影を含む）、血圧、尿、その他一般内科系検査
	身体測定	視力、色覚についての測定
	体力検査	立ち幅跳び、上体起こしによる身体の筋持久力等についての検査

●入国警備で日本の安全を守る

入国警備官は、国家公務員公安職の一つで、日本へ**不法入国・不法残留している外国人を調査して必要があれば摘発**し、収容や本国への送還手続きをとるなどの業務に携わっています。外国人による犯罪や問題が指摘される中、日本の安全を守る頼もしい存在です。

●受験資格は年齢制限のみ

入国警備官採用試験の受験資格は基本的に**年齢制限のみ**となっているため、比較的受験しやすい職種ですが、**高倍率で難度が高い**試験です。近年は人物重視の傾向が強まっているので、人物試験では、**明確な志望動機**と合わせて、外国人に関連した問題についてもまとまった意見を言えるようにしておきましょう。

●研修は、法律・語学・身体訓練など幅広い

入国警備官は、広範囲に及ぶ法律知識を有するだけでなく、外国人と接する機会も多いことから、高い品性と豊かな**国際感覚**、優れた**語学力**が必要とされます。

そのため採用されると、地方出入国在留管理官署で短期間の業務についた後、全寮制の研修施設において約３か月間の初任科研修に参加します。そして、憲法、行政法、出入国管理および**難民認定法**など、業務に必要な基礎的な法律知識をはじめ、外国語などの学科、武道訓練、逮捕術、けん銃操作などといった、**職務に直結した訓練**を受けることになります。

受験スケジュール

7月中旬～下旬　出願手続き
↓
9月下旬　第１次試験
↓
10月下旬　第２次試験
↓
11月中旬　最終合格発表

試験のここが知りたい！

入国警備官採用試験は高卒者を対象とした試験のため、基礎能力試験対策は、国家公務員一般職の高卒程度試験の問題集で対応できます。２次試験では、身体検査、体力検査が実施されますので、体調管理に注意して試験に臨みましょう。なお、2019（令和元）年度試験より身長および体重の基準が撤廃されています。

30 刑務官（高卒程度／社会人）

少年の更生、受刑者の指導、刑務所の警備などを行う

試験の程度：**高校卒業程度**

職種：**公安職**

年齢制限：28 **29歳未満**　39 **40歳未満**

＊受験資格・試験概要の内容については変更の場合があるので、必ず試験要項で確認してください。

受験資格

年齢制限、視力などの身体的要件が設けられている。

〔刑務、刑務（武道）〕

試験が実施される年の4月1日現在で、17歳以上29歳未満の者。

〔刑務（社会人）〕

試験が実施される年の4月1日現在で、29歳以上40歳未満の者。

※男女別に採用される。

試験概要（区分：刑務、刑務（武道））

1次試験	基礎能力試験（多肢選択式）	〈知能分野〉文章理解、課題処理、数的処理、資料解釈 〈知識分野〉自然科学、人文科学、社会科学、情報
	作文試験	文章による表現力や課題に対する理解力などについての試験
	実技試験	〔刑務（武道）のみ実施〕 柔道または剣道の実技に関する試験 （※柔道衣と帯または剣道着、竹刀等を持参する）
2次試験	人物試験	人柄、対人的能力などについての個別面接 性格検査（人物試験の参考のため実施）
	身体検査	主として一般内科系検査（呼吸器、循環器、眼、耳鼻咽喉、言語、聴器などの検査項目について、視診・問診・聴打診を行う）
	身体測定	視力についての測定 ※2019年度より、身長および体重の基準は撤廃
	体力検査	〔刑務（武道）以外実施〕 立ち幅跳び、反復横跳び、上体起こしによる身体の筋持久力等についての検査

●収容者の指導、訓練、警備など

刑務官の配属先は、主に**少年刑務所、刑務所、拘置所**であり、刑務所では、日常生活の指導や職業訓練などによる受刑者の更生を図り、拘置所では、被疑者・被告人の逃走、証拠隠滅の防止といった業務に従事します。また施設内の警備も重要な仕事です。

刑務官は、罪を犯して収容された人が、再び過ちを繰り返さないようにするために、優しさと厳しさをもった毅然とした態度で接し、ものの見方や考え方へのアドバイス、悩み事の相談を通じて、**社会復帰や改善・更生の道へと導く存在**として、重要な役割を担っています。また精神的、体力的に厳しい仕事ですので、高い職業意識が必要とされる職種です。

●採用試験では体力を重視

刑務官採用試験は、**体力検査**に重点をおいて実施されます。上体起こし、立ち幅跳び、反復横跳びの試験が課されますが、職業上、体力に関する要求は高いものになっています。

なお、刑務（武道）区分で採用された場合は、各刑務所の**警備隊**に所属することになっています。

受験スケジュール

7 月中旬～下旬　出願手続き
⬇
9 月中旬　第 1 次試験
⬇
10 月中旬～下旬　第 2 次試験
⬇
11 月中旬　最終合格発表

●研修では法規や実務を学ぶ

採用後に行われる初等科研修では、憲法や刑法の法規をはじめ、教育心理学や医学、体育などを学びます。また、護身術、集団行動訓練、救急法などの実務も習得します。

試験のここが知りたい！

筆記試験の難易度は高卒程度ですので、高校レベルの学力をしっかり備えていれば安心です。確実に合格するためには、作文試験の対策も十分にしておくことが重要となります。なお、体力検査では、3 種目で 1 つでも基準に達しないものがある場合は不合格となりますので、日ごろから練習を重ねておきましょう。

31 衆議院事務局衛視・参議院事務局衛視

衆参議院の本会議場の警備、議長・議員などの警護にあたる

試験の程度：**高校卒業程度**

職種：**公安職**

年齢制限：21▼ **22歳未満**　19▼ **20歳未満**

＊受験資格・試験概要の内容については変更の場合があるので、必ず試験要項で確認してください。

受験資格

年齢制限、身長、視力などの身体的要件が設けられている。

〔衆議院事務局衛視〕

試験が実施される年の4月1日現在で、17歳以上22歳未満の者で次に掲げる者。

1. 高等学校または中等教育学校を卒業した者および試験の翌年3月までに卒業見込みの者。
2. 衆議院事務局が1.と同等の資格があると認める者。

〔参議院事務局衛視〕

試験が実施される年の4月1日現在で、17歳以上20歳未満の者で次に掲げる者。

1. 高等学校または中等教育学校を卒業した者および試験の翌年3月までに卒業する見込みの者。
2. 参議院事務局が1.と同等の資格があると認める者。

※ 衆議院事務局衛視と参議院事務局衛視は、それぞれの事務局職員の一般職（高卒程度）採用試験との併願ができない。

試験概要〔衆議院事務局衛視〕

1次試験	基礎能力試験（多肢選択式）	文章理解、判断・数的推理（資料解釈を含む）、自然科学、人文科学、社会科学（時事を含む）
2次試験	身体検査及び体力検査	胸部X線撮影、血液・尿検査を含む
	個別面接試験	（詳細は公表されていない）

試験概要〔参議院事務局衛視〕

1次試験	基礎能力試験（多肢選択式）	一般的知識・知能 社会科学（時事を含む）、人文科学、自然科学、文章理解、判断推理・数的推理・資料解釈
	一般常識試験	一般常識（短文記述式）
	作文試験	（詳細は公表されていない）
2次試験	人物試験	個別面接 性格検査（人物試験の参考のため実施）
	基礎体力検査	基礎体力、腹筋力、敏しょう性、瞬発力についての検査
	身体検査	血圧測定、尿検査、その他一般内科系検査

●議会の円滑な活動を支える

事務局衛視とは、衆参両議院事務局の警務部に所属する国会職員で、主に議会の秩序を守るために、本会議場、委員会室、国会議事堂と別館・分館の**警備**、国会議長や副議長、総理大臣、内外の貴賓の**身辺警護**を行っています。また、議事堂内の見学者の案内、誘導、受付などの業務も行っています。

採用試験ではまず**一般常識**の有無が問われ、さらには**体力の程度**や面接試験も重視されています。

受験スケジュール

〔衆議院事務局衛視〕
6月下旬～7月中旬　出願手続き
↓
8月下旬　第1次試験（筆記）
↓
9月中旬　第2次試験（面接など）
↓
10月中旬　最終合格発表

〔参議院事務局衛視〕
6月中旬～7月上旬　出願手続き
↓
8月中旬　第1次試験
↓
9月中旬以降　第2次試験
↓
10月下旬以降　最終合格発表

試験のここが知りたい！

〈衆議院事務局衛視〉 1次試験の合否判定では、柔道、剣道等の段位、および各種スポーツで日本選手権、全国高校総合体育大会等の全国規模の大会への出場やそれに準じる大会での優秀な成績などが考慮されます。

〈参議院事務局衛視〉 1次試験の基礎能力試験は合計40題で必須解答ですが、この成績が一定点に達していない場合は、一般常識試験と作文試験は採点の対象となりません。基礎能力試験の対策を重視してください。

32 航空管制官（大卒程度）

空の安全を守るスペシャリストとして働く

試験の程度：大学卒業程度
職種：専門職
年齢制限：30歳未満

＊受験資格・試験概要の内容については変更の場合があるので、必ず試験要項で確認してください。

受験資格

①試験が実施される年の4月1日現在で、21歳以上30歳未満の者。
②21歳未満の者で、試験の翌年3月までに大学、短期大学、高等専門学校を卒業および卒業見込みの者。
③人事院が②と同等の資格があると認める者。

試験概要

1次試験	基礎能力試験（多肢選択式）	〈知能分野〉文章理解、判断推理、数的推理、資料解釈 〈知識分野〉自然・人文・社会に関する時事、情報
	適性試験Ⅰ部（多肢選択式）	航空管制官として必要な記憶力、空間把握力についての筆記試験
	外国語試験（聞き取り）	英語のヒアリング
	外国語試験（多肢選択式）	英文解釈、和文英訳、英文法など
2次試験	外国語試験（面接）	英会話
	人物試験	人柄、対人的能力などについての個別面接、性格検査
3次試験	適性試験Ⅱ部	航空管制官として必要な記憶力、空間把握力についての航空管制業務シミュレーションによる試験
	身体検査	主として胸部疾患（胸部X線撮影を含む）、血圧、尿、その他一般内科系検査

3次試験	身体測定	視力、色覚、聴力についての測定 （※条件にそぐわない者は不合格となる）

●空の安全を見守る存在

航空管制官とは、空港や飛行場において、**航空機を安全に誘導**する管制業務に従事する職員のことをいい、空での交通を安全、快適なものにする役割を担っています。主に、**航空機に指示や助言**を与えるのが仕事となりますが、常に緊張感と責任感が求められるため、心身ともに健康で、強い精神力を有することが必要です。

航空管制官採用試験で合格すると、まずは8か月間の研修を受けるために、**航空保安大学校**に入校することになります。その後、訓練生として、日本全国の空港や管制部に配属されます。1、2年の実地訓練を経て**技能試験**に合格すれば、正式に航空管制官となります。

●記憶力と空間把握力重視の試験

管制官採用試験において最も特徴的なのが、1次試験科目の適性試験です。これは、「**記憶図**」と「**空間把握**」から構成されているもので、航空管制官になるための必須能力として重要視されています。

受験スケジュール

2月下旬〜3月下旬　出願手続き
⬇
5月下旬　第1次試験
⬇
7月上旬　第2次試験
⬇
8月下旬　第3次試験
⬇
10月上旬　最終合格発表

また航空管制官は、他の航空職員と協同して空の安全を守っています。そのため、**英語能力**はもちろんのこと、高いコミュニケーション能力も必要とされますので、人物試験では**的確、かつ冷静な受け答え**が求められます。

試験のここが知りたい！

航空管制業務は英語で行われるため、英語力が重視されています。1次試験、2次試験ともに、読解だけでなく、会話やヒアリングなどの試験があるので忘れずに対策してください。また、航空管制官としての適性試験についても意識した学習をすすめてください。

33 自衛隊幹部候補生（院卒者／大卒程度）

陸上・海上・航空の各自衛隊曹長から幹部を目指す

試験の程度 **院卒者 大卒程度**
職種 **公安系**
一般（大卒）年齢制限 24 **25 歳未満**
一般（院卒者）、薬剤科 年齢制限 26 **27 歳未満**
歯科 年齢制限 28 **29 歳未満**

＊受験資格・試験概要の内容については変更の場合があるので、必ず試験要項で確認してください。

（一般）

受験資格	院卒者	試験が実施される年の4月1日現在で、修士課程修了者（試験の翌年3月までに学位取得見込みを含む）で、19歳以上27歳未満の者。6年制の学部の修了者及びこれらの課程いずれかの修了見込みの者も含まれる。
	大卒程度	①試験が実施される年の4月1日現在で、21歳以上25歳未満の者。修士課程修了者等（試験の翌年3月までに学位取得見込みの者を含む）にあっては、27歳未満の者。 ②19歳以上21歳未満で、試験の翌年3月までに大学または外国における学校を卒業した場合で大学卒業に相当すると認められる者。 ③現に自衛官（合格発表の日に自衛官に任官している見込みの自衛官候補生を含む）である者については、21歳以上27歳未満の者。

（歯科・薬剤科）

受験資格	歯科	試験が実施される年の4月1日現在で、19歳以上29歳未満の者で、次のいずれかに該当するもの。 ①学校教育法に基づく大学（短期大学を除く）において、正規の歯学の課程を修めて卒業した者および試験の翌年3月までに卒業する見込みの者。 ②外国の歯科医学校を卒業し、または外国の歯科医師免許を受けた者で、厚生労働大臣が①と同等以上の学力および技能を有し、かつ、適当と認定したもの。

<table>
<tr><td>受験資格</td><td>薬剤科</td><td>試験が実施される年の4月1日現在で、19歳以上27歳未満の者で、次のいずれかに該当するもの。
①学校教育法に基づく大学において、正規の薬学の課程（6年制に限る）を修めて卒業した者および試験の翌年3月までに卒業する見込みの者。
②外国の薬学校を卒業し、または外国の薬剤師免許を受けた者で、厚生労働大臣が①と同等以上の学力および技能を有すると認定したもの。
③4年制薬学課程を修めて卒業し、かつ、学校教育法に基づく大学院において薬学の修士または博士課程を修了した者であって、①と同等以上の学力および技能を有すると認定した者。</td></tr>
</table>

※歯科・薬剤科ともに、幹部候補生学校入校前に国家試験に合格することが条件。

試験概要［一般］

<table>
<tr><td rowspan="7">1次試験</td><td rowspan="3">大卒程度・院卒者共通</td><td>一般教養（択一式）</td><td colspan="2">第I分野（人文科学、社会科学、自然科学および英語）
第II分野（文章理解、数的推理、判断推理および資料解釈）</td></tr>
<tr><td>専門（択一式）</td><td colspan="2">人文科学、社会科学、理・工学のうちから1科目選択。音楽要員希望者は音楽科目を受験</td></tr>
<tr><td>筆記式操縦適性検査</td><td colspan="2">飛行要員希望者のみ</td></tr>
<tr><td>大卒程度</td><td rowspan="3">専門（記述式）</td><td colspan="2">心理、教育、英語、行政、法律、経済、国際関係、社会、数学、物理、化学、情報工学、電気、電子、機械(造船を含む)、土木、建築、航空工学、海洋・航海から1科目選択。ただし、音楽要員希望者は音楽科目を受験</td></tr>
<tr><td rowspan="2">院卒者</td><td>理・工学</td><td>数学、物理、化学、情報工学、電気、電子、機械（造船を含む）、土木、建築、航空工学および海洋・航海から1科目選択</td></tr>
<tr><td>法学</td><td>行政、法律、国際関係から1科目選択</td></tr>
<tr><td>2次試験</td><td>共通</td><td colspan="3">小論文試験、口述試験、身体検査（飛行要員希望者は航空身体検査）</td></tr>
</table>

※海上・航空自衛隊の飛行要員のみ3次試験あり。

試験概要［歯科・薬剤科］

1次試験	一般教養（択一式）	第Ⅰ分野（人文科学、社会科学、自然科学および英語） 第Ⅱ分野（文章理解、数的推理、判断推理および資料解釈）
	専門（択一式・記述式）	歯科：歯学に関する問題 薬剤科：薬学に関する問題
2次試験	小論文試験、口述試験および身体検査	

●採用後とキャリアアップ

採用後は、陸上・海上・航空の各自衛隊の**曹長**として**各幹部候補生学校**に入校し、防衛基礎学、戦術、戦史、戦技訓練、体育、服務、防衛教養、実技などを約１年（歯科幹部候補生は約６週間）学びます。そして卒業後は、一般は**3尉**に、歯科・薬剤科は２尉に昇任します。院卒者は、採用後は大卒程度と同じく各**曹長**に任命後、各**幹部候補生学校**に入校し、約１年の課程を経て、**2尉**に昇任します。その後も**部隊勤務**や**職種学校**、**術科学校**、**幹部学校**など、段階的な教育を受けてスキルを磨けます。

受験スケジュール

出願手続き
第１回　３月上旬～４月中旬
第２回　４月下旬～６月中旬
第３回　８月下旬～９月下旬
↓
第１次試験
第１回　４月下旬
第２回　６月下旬
第３回　10月上旬
↓
第２次試験
第１回　５月下旬
第２回　７月下旬～８月上旬
第３回　11月上旬～中旬
※海上・航空自衛隊の飛行要員（第１回のみ）は３次試験あり。
↓
最終合格発表
第１回　７月上旬以降
第２回　９月下旬
第３回　12月下旬

試験のここが知りたい！

幹部候補生の試験に応募する際には、まず日本各地の地方協力本部のカレッジリクルータに相談してみましょう。カレッジリクルータとは、一般大学を卒業した現役の幹部自衛官で、質問や相談を受けてくれます。

34 自衛隊一般曹候補生／自衛官候補生

国を守る現場のスペシャリスト

試験の程度：高校卒業程度
職種：公安系
年齢制限：33歳未満

＊受験資格・試験概要の内容については変更の場合があるので、必ず試験要項で確認してください。

受験資格

採用予定月の1日現在で、18歳以上33歳未満の者。
※32歳の者は、採用予定月の末日現在、33歳に達していない者。

試験概要〔自衛隊一般曹候補生〕

1次試験	国語（択一式）	現代の国語、言語文化
	数学（択一式）	数学Ⅰ
	英語（択一式）	英語コミュニケーションⅠ
	作文	700字程度
	適性検査	
2次試験	口述試験（個別面接）、身体検査	

試験概要〔自衛官候補生〕

1次試験	筆記試験（国語、数学、地理歴史、公民および作文）、口述試験、適性検査、身体検査および経歴評定

●一般曹候補生は終身雇用

自衛隊一般曹候補生は、非任期制で**終身雇用**が原則です。

採用後はまず、陸上は6か月、海上・航空は4か月の**教育課程**で自衛官としての基礎的な知識や技能などを学びます。その後、職種・職域が決定され、**部隊勤務**や**術科教育**へと進みます。

採用後2年9か月以降は、選考で**3曹**に昇進できます。その後、約4年で**部内選抜の幹部候補生**の受験資格が得られ、努力次第でさらなるキャリアアップも可能です。

●自衛官候補生は任期制

自衛官候補生は、**任期制自衛官**で、1年9か月または2年9か月(2任期目以降は2年)を任期とする自衛官です。採用後に3か月の**自衛官候補生教育**を受けて**職域**が決定され、専門教育を受けた後、2士として任官し、各部隊や基地に配置となります。その約6か月後には**1士**に昇任し、さらに、その約1年後には**士長**に昇任します。任期終了後は、希望すれば勤務を継続し、さらなる昇進を目指せます。一方、民間企業に就職する場合は、資格取得のための職業訓練などを受講できます。

●自衛隊の多様な職種・職域

自衛隊には、陸上16種、海上約50種、航空約30種の**職種・職域**があります。例えば、基地や軍隊への通信業務や通信機器の整備などを行う「通信」、患者の治療や医療施設への後送などを行う「衛生」、音楽演奏を通じて隊員の士気を高める「音楽」など、さまざまな種類の活躍の場があります。本人の希望と適性により、将来の進むべき職種・職域が決定され、その職域に必要な基礎的知識、技能習得のための**教育訓練**が行われます。

受験スケジュール

〔自衛隊一般曹候補生〕

※第3回は実施しない場合あり

	出願手続き
第1回	3月上旬～5月上旬
第2回	7月上旬～9月上旬
第3回	10月上旬～11月下旬

⬇

	第1次試験
第1回	5月下旬
第2回	9月中旬～下旬
第3回	12月上旬～中旬

⬇

	第2次試験
第1回	6月中旬～下旬
第2回	10月中旬～下旬
第3回	1月上旬～中旬

⬇

	合格発表
第1回	7月中旬
第2回	11月下旬
第3回	1月下旬

〔自衛官候補生〕

受付は年間を通じて行っている

試験のここが知りたい！

自衛隊一般曹候補生、自衛官候補生ともに、採用試験は、高等学校卒業程度の内容となっており、難度は高くありませんので、基本をしっかり押さえておきましょう。

35 防衛医科大学校／防衛大学校

幹部自衛官を養成するための教育機関

試験の程度：高校卒業程度
職種：学校系
年齢制限：20歳未満

＊受験資格・試験概要の内容については変更の場合があるので、必ず試験要項で確認してください。

受験資格

防衛医科大学校・防衛大学校

試験が実施される年の4月1日現在で、17歳以上20歳未満の志操健全、身体強健な者のうち、次のいずれかに該当する者（防衛大学校においては、現に自衛官であって22歳未満の者）。

① 高等学校または中等教育学校卒業者（試験の翌年3月までに卒業見込みの者を含む）。
② ①と同等以上の学力があると文部科学大臣が認めた者（試験の翌年3月末日までにこれに該当する見込みのある者を含む）。
③ 高等専門学校の第3学年次修了者（試験の翌年3月に修了見込みの者を含む）。

試験概要〔防衛医科大学校　医学科〕

1次試験	外国語（択一式・記述式）	英語コミュニケーションⅠ・Ⅱ・Ⅲ、論理・表現Ⅰ・Ⅱ・Ⅲ
1次試験	数学（択一式・記述式）	数学Ⅰ・Ⅱ・Ⅲ・A・B（数列）・C（ベクトル、平面上の曲線と複素数平面）
1次試験	国語（択一式・記述式）	現代の国語、言語文化、論理国語、文学国語（すべて古文・漢文を除く。）
1次試験	理科（択一式・記述式）	物理基礎および物理、化学基礎および化学、生物基礎および生物の3科目から2科目選択
1次試験	小論文	
2次試験	口述試験、身体検査	

試験概要〔防衛大学校〕

1次試験（2日間で実施）	人文・社会科学専攻	英語（マークセンス）	英語コミュニケーションⅠ・Ⅱ・Ⅲ、論理・表現Ⅰ・Ⅱ・Ⅲ
		数学・社会（マークセンス）	数学Ⅰ・Ⅱ、数学A・B（数列のみ）・C（ベクトルのみ）または歴史総合・日本史探究または歴史総合・世界史探究から1科目選択
		国語（マークセンス）	現代の国語・言語文化、論理国語・文学国語、古典探究
		小論文（記述式）	
	理工学専攻	英語（マークセンス）	英語コミュニケーションⅠ・Ⅱ・Ⅲ、論理・表現Ⅰ・Ⅱ・Ⅲ
		数学（マークセンス）	数学Ⅰ・Ⅱ・Ⅲ、数学A・B（数列のみ）・C（ベクトル及び平面上の曲線と複素数平面のみ）
		理科（マークセンス）	物理基礎・物理（原子除く）または化学基礎・化学から1科目選択
		小論文（記述式）	
2次試験	共通	口述試験（個別面接）、身体検査	

●防衛医科大学校で学ぶ

医学科は、**自衛隊医官**にふさわしい人格や識見と優れた総合臨床医の養成を目的としています。合格後は、全員入校と同時に校内の**学生舎**で生活を送りながら**教育訓練**を行います。カリキュラムは、**進学課程**、**専門課程**、**訓練課程**があり、訓練などで幹部自衛官としての資質を養いながら、医師としての知識と能力を6年かけて履修します。卒業と同時に国家試験受験資格が与えられ、**国家試験に合格**し、かつ**幹部候補生学校**を卒業すると、**2尉**の階級に昇任します。なお、卒業後9年間は自衛隊に勤務する義務があります。

受験スケジュール

〔防衛医科大学校〕

7月上旬～10月上旬　出願手続き

↓

10月中旬　第1次試験

↓

12月中旬　第2次試験

↓

翌年1月下旬　最終合格発表

●防衛大学校での生活

入学してから卒業までの４年間は、校内の**学生舎**で生活しながら学びます。**教育課程**と**訓練課程**があり、教育課程では、**全学共通基盤教育**のほか、自分の専攻する学科で**専門教育**を受講します。また、２年に進級すると、所属学科以外の複数学科にまたがる生命科学、安全科学、危機管理、領域横断（宇宙・サイバー・電磁波）、国際交流のプログラムを学ぶこともできます。

一方、訓練課程は、自衛隊の必要とする基礎的な訓練を錬成し、**幹部自衛官としての職責**を理解して、適応する**資質及び技能**を育成することを目的として行われ、各学年全員が同じ訓練を行う**共通訓練**と、２学年において陸上・海上・航空要員に指定されてから行う**要員訓練**があります。どちらも、毎週２時間の**課程訓練**と、年間を通じて集中して実施する**定期訓練**をもって行われます。

卒業後は、各自衛隊の**曹長**として任命され、その後、各**幹部候補生学校**の教育訓練を経て、**3尉**に昇任します。それ以降は、各自の職域に応じた専門教育を受けながら幹部への道を進みます。

受験スケジュール

〔防衛大学校〕

7月上旬～10月中旬　出願手続き

↓

11月上旬　第１次試験

↓

11月下旬～12月上旬　第２次試験

↓

12月下旬　最終合格発表

試験のここが知りたい！

防衛医科大学校：他大学医学部の入試並みと言われており、難度は高めです。なお、2022年度入校の試験より、これまで分かれていた択一式と記述式の試験が、同時間に行われるよう変更になりました。

防衛大学校：第１次の2018年度の試験より、後期日程が廃止され、科目数と試験方式が変更されました。教科試験は、全てマークセンス（多肢選択式）で、受験しやすい形になっています。小論文は、ここ数年、図表を見て自分の考えを述べる問題が続いていますので、世界の動向をおさえつつ、図表を正確に読む力を養っておきましょう。

36 海上保安官/海上保安大学校/海上保安学校

日本の海における秩序維持と海難救助のエキスパート

試験の程度	職種	海上保安官 年齢制限	海上保安大学校 年齢制限	海上保安学校 年齢制限
大卒者 高校卒業 程度	公安系 学校系	29 30歳 未満	19 20歳 未満	29 30歳 未満

＊受験資格・試験概要の内容については変更の場合があるので、必ず試験要項で確認してください。

受験資格	海上保安官	①試験が実施される年の4月1日現在で年齢が30歳未満の者で、大学を卒業した者および試験の翌年3月までに大学卒業見込みの者。 ②人事院が①と同等の資格があると認めた者。
	海上保安大学校	①試験が実施される年の4月1日現在で、高等学校または中等教育学校を卒業した日の翌日から起算して2年を経過していない者。 ②試験の翌年3月までに高等学校または中等教育学校を卒業する見込みの者。 ③高等専門学校の第3学年の課程を修了した者で、試験が行われる年の4月1日現在で修了した日の翌日から起算して2年を経過していない者等、人事院が①②と同等の資格があると認める者。
	海上保安学校	①試験が実施される年の4月1日現在で、高等学校または中等教育学校を卒業した日の翌日から起算して12年を経過していない者。 ②試験の翌年3月までに高等学校または中等教育学校を卒業する見込みの者。 ③高等専門学校の第3学年の課程を修了した者で、試験が行われる年の4月1日現在で修了した日の翌日から起算して12年を経過していない者等、人事院が①②と同等の資格があると認める者。

※いずれの採用試験も、身長、体重、視力、聴力などの身体的要件が設けられている。

試験概要〔海上保安官〕

1次試験	基礎能力試験 （多肢選択式）	〈知能分野〉文章理解、判断推理、数的推理、資料解釈 〈知識分野〉自然・人文・社会に関する時事、情報
	課題論文試験	文章による表現力、課題に対する理解力・判断力・思考力などについての筆記試験

2次試験	人物試験	人柄、対人的能力などについての個別面接、性格検査
	身体検査	主として胸部疾患（胸部X線撮影を含む）、血圧、尿、その他一般内科系検査
	身体測定	身長、体重、視力、色覚、聴力についての測定
	体力検査	反復横跳び、上体起こし、鉄棒両手ぶら下がりによる身体の筋持久力等についての検査

試験概要〔海上保安大学校〕

1次試験	基礎能力試験（多肢選択式）	〈知能分野〉文章理解、課題処理、数的処理、資料解釈 〈知識分野〉自然科学、人文科学、社会科学、情報
	学科試験（多肢選択式）	〈必須〉数学、英語
	学科試験（記述式）	〈必須〉数学、英語
	作文試験	文章による表現力、課題に対する理解力などについての試験
2次試験	人物試験	人柄、対人的能力などについての個別面接 性格検査（人物試験の参考のため実施）
	身体検査	主として胸部疾患（胸部X線撮影を含む）、血圧、尿、その他一般内科系検査
	身体測定	身長、体重、視力、色覚、聴力についての測定
	体力検査	反復横跳び、上体起こし、鉄棒両手ぶら下がりによる身体の筋持久力等についての検査

試験概要〔海上保安学校〕※情報システム課程は2024（令和6）年度秋試験より廃止。

1次試験	基礎能力試験（多肢選択式）	〈知能分野〉文章理解、課題処理、数的処理、資料解釈 〈知識分野〉自然科学、人文科学、社会科学、情報	
	学科試験（多肢選択式）	一般課程 ※船舶運航システム課程より名称変更。	なし
		航空課程	数学、英語
		管制課程	数学、英語
		海洋科学課程	数学、英語、物理
	作文試験	〔一般課程のみ実施〕	
2次試験	人物試験（航空課程は除く）、身体検査、身体測定、体力検査		
3次試験	人物試験、身体検査、適性検査（模擬飛行装置等を使用しての操縦検査） ※3次試験は航空課程のみ実施。		

●海上保安大学校で学ぶ

海上保安官採用は、海上保安大学校で**２年**の**幹部研修**と、航海または機関の専門的な知識を習得した後、**幹部海上保安官**として業務に従事します。

一方、海上保安大学校学生採用は、本科４年、専攻科６か月および研修科国際業務課程３か月の計**４年９か月**の研修を行います。本科での法律や海上保安行政の授業、逮捕術等の訓練などを経て、巡視船艇勤務時に航海、機関、情報通信のいずれかを専攻します。専攻科で、**練習船での世界一周遠洋航海実習**や、**犯罪捜査**、**鑑識**、**海難救助**などを学んだ後、研修科国際業務課程で実務能力を身につけます。

●海上保安学校で学ぶ

海上保安学校では、**海上保安庁の一般職員**として必要な知識や技能の習得などを行います。

卒業後の業務に応じて一般課程、航空課程、海洋科学課程、管制課程の４つに分かれて１～２年の教育を受けます。

受験スケジュール

〔海上保安官〕

２月下旬～3 月下旬　出願手続き
⬇
５月下旬　第１次試験
⬇
７月上旬～中旬　第２次試験
⬇
８月中旬　最終合格発表

〔海上保安大学校〕

8月下旬～9月上旬　出願手続き
⬇
10 月下旬　第１次試験
⬇
12 月中旬　第２次試験
⬇
翌年１月中旬　最終合格発表

〔海上保安学校〕

７月中旬～下旬　出願手続き
⬇
９月下旬　第１次試験
⬇
10 月中旬～下旬　第２次試験
⬇
11 月中旬　最終合格発表

＊航空課程は12月上旬～中旬に第３次試験、翌年1月中旬に最終合格発表。一般課程のみ、春に行う（特別）採用試験もあり。

試験のここが知りたい！

2020（令和 2）年度より大卒者対象の「海上保安官採用試験」が新設され、「海上保安学校学生採用試験」も受験資格が高校卒業後 12 年を経過していないものに変更されました。また、2022（令和 4）年度からは、「海上保安大学校学生採用試験」の学科試験から物理・化学が削除されました。

37 航空保安大学校／気象大学校

航空管制や気象のエキスパートのための教育機関

試験の程度：高校卒業程度

職種：学校系

航空保安大学校 年齢制限：20 21歳未満

気象大学校 年齢制限：19 20歳未満

＊受験資格・試験概要の内容については変更の場合があるので、必ず試験要項で確認してください。

受験資格	航空保安大学校	①試験が実施される年の4月1日現在で、高等学校または中等教育学校を卒業した日の翌日から3年を経過していない者。 ②試験の翌年3月までに高等学校または中等教育学校を卒業見込みの者。 ③高等専門学校の第3学年の課程を修了した者で試験が実施される年の4月1日現在で、修了した日の翌日から起算して3年を経過していない者および試験の翌年3月までに高等専門学校の第3学年の課程を修了する見込みの者。 ④高等学校卒業程度認定試験に合格した者で試験が実施される年の4月1日現在で、合格した日の翌日から起算して3年を経過していない者。 ⑤人事院が①②と同等の資格があると認める者。
	気象大学校	①試験が実施される年の4月1日現在で、高等学校または中等教育学校を卒業した日の翌日から起算して2年を経過していない者。 ②試験の翌年3月までに高等学校または中等教育学校を卒業見込みの者。 ③高等専門学校の第3学年の課程を修了した者で試験が実施される年の4月1日現在で、修了した日の翌日から起算して2年を経過していない者および試験の翌年3月までに高等専門学校の第3学年の課程を修了する見込みの者。 ④人事院が①②と同等の資格があると認める者。

試験概要　〔航空保安大学校〕

1次試験	基礎能力試験 （多肢選択式）	〈知能分野〉文章理解、課題処理、数的処理、資料解釈 〈知識分野〉自然科学、人文科学、社会科学	
	学科試験 （多肢選択式）	航空情報科	数学、英語
		航空電子科	数学、物理
2次試験	人物試験（個別面接と性格検査）、身体検査、身体測定		

試験概要　〔気象大学校〕

1次試験	基礎能力試験 （多肢選択式）	〈知能分野〉文章理解、課題処理、数的処理、資料解釈 〈知識分野〉自然科学、人文科学、社会科学
	学科試験 （多肢選択式）	数学、物理、英語
	学科試験 （記述式）	数学、物理、英語
	作文試験	文章による表現力、課題に対する理解力についての試験
2次試験	人物試験（個別面接と性格検査）、身体検査	

●航空保安大学校で学ぶ

採用後は、航空保安大学校に入学し、航空情報科または航空電子科において、各地の空港や航空交通管制部などの航空官署に配属される**空のスペシャリストとなるための教育訓練**を受けます。

航空保安大学校で学ぶ期間は2年間で、航空気象学、航空機概論、航空管制概論などの専門知識のほか、心理学、法学、数学、物理学、英語、航空法規などの学科もあります。また**最新のシミュレーターを用いた実技訓練**も行われます。

受験スケジュール

〔航空保安大学校〕

7月中旬～下旬　出願手続き

⬇

9月下旬　第1次試験

⬇

11月中旬　第2次試験

⬇

12月中旬　最終合格発表

航空保安大学校卒業後は、航空情報科は航空通信、航空情報の提供および運航管理などの業務に、航空電子科は航空保安無線施設の運用保守などの業務に従事します。

●気象大学校で学ぶ

気象大学校とは、**気象庁の幹部候補生を養成**するための機関です。採用試験に合格すると**４年間**にわたり、気象に関する専門知識や技術を学ぶことになります。具体的な教育課程としては、気象業務に必要な基礎としての数学、物理、専門的知識としての気象学、地震火山学概論などがあり、その他には教養として人文科学、社会科学といった内容も含まれます。また気象業務の基礎となる**観測**や**実習**などを行う特修課程もあり、充実した研修内容で**気象のスペシャリスト**を育てます。

気象大学校での教育が修了すると、気象庁または全国各地の地方気象台などの技術部門に配属され、気象、地震、火山、海洋等の観測、予報、防災の業務に携わることになります。

受験スケジュール

〔気象大学校〕

8月下旬～9月上旬　出願手続き

⬇

10月下旬　第1次試験

⬇

12月中旬　第2次試験

⬇

翌年1月中旬　最終合格発表

●難度が非常に高い

気象大学校採用試験は、**基礎能力試験対策**と**学科試験対策**の２つが必要です。また学科試験においては、多肢選択式と記述式の両方が課され、数学、英語、物理すべてにおいて、難度はかなり高いものとなっているため、早めの準備が必要です。

試験のここが知りたい！

航空保安大学校：学科試験は各科目とも難関大学の入試並みといわれています。数学では、数式やベクトル、数列、線形計算などの分野をしっかりと押さえ、物理では、原理原則をいかに応用できるかが、攻略のポイントになります。

気象大学校：数学、物理を中心とした学科試験をいかに克服するかが重要です。例年の出題傾向を把握して、早めに対策をたててください。また英語の記述式問題に関しては、和訳、英訳ともかなりの記述力が必要で、単語も難解なため、しっかり学習しておきましょう。

コラム

障害のある人を対象とした公務員試験

厚生労働省は、障害のある人が障害のない人と同様に、その能力と適性に応じて働き、地域で自立した生活を送ることができるような社会の実現をめざして、障害のある人の雇用対策をすすめています。その対策の一つとして障害者雇用率の規定があります。障害者雇用率は、雇用している労働者のうち、身体障害者、知的障害者、精神障害者、の占める割合を一定の計算式によって求めた数字です。法改正で、2024（令和6）年度より段階的に引き上げられ、2026（令和8）年7月には民間企業で2.7%、国および地方公共団体は3.0%、都道府県等の教育委員会は2.9%となる予定です。この規定に基づき、公務員試験においては、障害者のための採用試験が通常の試験とは別に実施されます。

●国家公務員

2018（平成30）年10月に、関係閣僚会議で決定した「公務部門における障害者雇用に関する基本方針」における取組の1つとして、「国家公務員　障害者選考試験」が初めて行われました。第1次選考は、基礎能力試験と作文試験が、第2次選考は府省ごとに面接が行われました。2019（令和元）年度には、視覚障害や聴覚障害だけでなく、上肢機能・下肢機能・体幹機能障害、読字障害、書字障害など、あらゆる障害に対する配慮がされ、より受験しやすくなりました。しかし、倍率は非常に高く、狭き門です。なお、2020（令和2）年以降は、随時各府省が公募しています。

●地方公務員

地方公務員では、以前から身体障害者を対象として別枠で採用試験が行われており、主に事務職を募集しています。受験資格は、学歴要件や年齢要件が障害のない人の試験と同様に設定され、学歴別に採用人数が決まっている場合と、学歴を問わない場合があります。年齢要件についても、自治体によって違います。その他、多くの場合、身体障害者手帳の交付を受けていて1級～4級までの障害であること、介護が必要ではないこと、自力で通勤が可能であることなどが受験資格として挙げられています。試験は、多肢選択式の教養試験と作文試験、個別面接という場合が多く、障害のない人の試験と大きな違いはありません。

Part 4 試験対策のコツとツボ

1 公務員試験の全体像をつかもう

■3次試験
地方自治体によっては、3次試験で面接試験を行うところがあります。また、国立国会図書館職員も3次試験で人物試験が実施されます。

1次試験は筆記試験
2次試験は面接試験が中心

公務員試験は、国家公務員でも地方公務員でも、ほとんどの場合、1次試験と2次試験に分かれています。

一般的に、1次試験では、筆記試験として全般的な知識を問う**基礎能力試験**（国家公務員）・**教養試験**（地方公務員）と採用後の職務に関連した知識を問う専門試験が実施されます。基礎能力試験・教養試験は、職種や区分に関係なくほとんど同じ内容で実施されますが、専門試験は試験の種目や内容に違いがあります。2次試験では、主に**人物試験**と**論作文**が実施されます。人物試験は、主に個別面接と筆記による性格検査です。論作文は1次試験で実施される場合もあります。

各試験の種類と問題数をチェックしよう

公務員試験の種目と形式、試験科目と問題数は、国家公務員と地方公務員で違うだけでなく、試験の種類によって少しずつ違います。主なものを比較してみましょう。

なお、総合職、一般職以外の、省庁ごとに採用される専門職の試験の場合、基礎能力試験は一般職とほぼ同じ内容ですが、専門試験に関してはそれぞれ特色があります。専門試験の内容については、Part3のそれぞれの試験に関するページを参照してください。

●国家総合職（院卒者）（→ p.66、70）

1次試験で多肢選択式の基礎能力試験30問と多肢選択式の専門試験40問、2次試験では、記述式の専門試験が2問と個別面接・性格検査のほか、他の試験では実施されない**政策課題討議試験**があります（法務区分は専門試験なし）。

●国家総合職（大卒程度）（→ p.68、70）

1次試験で多肢選択式の基礎能力試験が30問、多肢選択式の専門試験が40問、2次試験では、記述式の専門試験が2問と個別面接・性格検査のほか、他の試験では実施されない**政策論文試験**があります。

●国家一般職（大卒程度）（→ p.72、74）

行政区分の場合、1次試験で多肢選択式の基礎能力試験30問、多肢選択式の専門試験40問、一般論文試験が実施されます。2次試験では、個別面接・性格検査が実施されます。

技術系の区分の場合は、1次試験の一般論文試験のかわりに記述式の専門試験1問が実施されますが、その他は行政区分と同じです（建築区分の多肢選択式は33問）。

●国家一般職（高卒者）（→ p.76）

事務区分の場合は、1次試験で多肢選択式の基礎能力試験が40問、多肢選択式の適性試験120問、作文試験が実施され、2次試験で個別面接・性格検査が実施されます。技術系の区分の場合は、1次試験で多肢選択式の基礎能力試験と多肢選択式の専門試験40問が実施され、**作文試験はありません**。2次試験は事務区分と

■国家総合職・一般職（大卒）の基礎能力試験の変更について

国家公務員総合職・一般職（大卒）の基礎能力試験は、2024（令和6）年度より多肢選択式の基礎能力試験が40問から30問に削減されました。

■政策課題討議試験

国家総合職（院卒）の2次試験で実施されます。政策課題に関する討議試験では、与えられた課題に対する十分な知識だけでなく、人に自分の考えを伝える能力、人の意見を理解する能力などが試される難しい試験です。

■教養区分の2次試験

国家総合職（大卒程度）の教養区分の2次試験では、プレゼンテーションおよび質疑応答による企画提案試験、院卒と同様の政策課題討議試験が実施されます。

■多肢選択式の適性試験

早く正確に事務処理を行う能力についての筆記試験で、置換・照合・計算・分類などの比較的簡単な問題を時間内になるべく多く解答するものです。

同じで、個別面接・性格検査が実施されます。

●地方公務員（大卒程度）（→ p.78、80、82）

自治体による違いはありますが、おおむね次のような組合せです。

1次試験では択一式の教養試験40～50問、択一式の専門試験40問程度または記述式の専門試験3問程度、論文試験があり、2次試験、3次試験で面接試験が実施されます。論文試験が2次試験で実施される自治体、3次試験の面接がない自治体もあります。技術系の場合も試験の組合せは同じですが、専門試験の内容と論文の課題は専門分野に関するものになります。

●地方公務員（高卒程度）（→ p.86）

1次試験では、ほとんどの自治体で択一式の教養試験が行われますが、問題数は、大卒程度と同様40～50問程度という自治体が多いようです。適性試験と作文試験も実施されますが、1次試験に含まれる場合と2次試験に含まれる場合があります。面接試験はほとんどの自治体が2次試験で実施します。

●市町村上級・中級・初級（→ p.84、86）

自治体による違いはありますが、1次試験で択一式の教養試験50問程度が実施されます。技術系の区分はそれに専門試験が加わるか、専門試験だけが実施されます。そのほかに適性試験、作文試験は実施する自治体としない自治体があります。面接はほとんどの自治体が2次試験で実施しますが、さらに**3次試験での面接**を実施する自治体もあります。

■高卒程度の試験の比較

地方公務員高卒程度の事務職と国家公務員一般職の事務区分を比較した場合、地方公務員の教養試験の問題数のほうが多いので、国家公務員のほうが負担は少ないといえます。

■採用試験でSPIを導入する自治体の増加

近年では、民間企業での採用時に使用されることが多いSPIを、職員採用試験に導入する自治体が増加しています。

■公務員試験の概要（種目、形式、出題数など）■

種　類	区　分	1次試験		2次試験
国家総合職（院卒）	事務系	基礎	•多肢選択式30問	•記述式専門試験2問 •個別面接と性格検査 •政策課題討議試験
		専門	•多肢選択式40問	
	技術系	基礎	•多肢選択式30問	•記述式専門試験2問 •個別面接と性格検査 •政策課題討議試験
		専門	•多肢選択式40問	
国家総合職（大卒）	事務系	基礎	•多肢選択式30問	•記述式専門試験2問 •個別面接と性格検査 •政策論文試験
		専門	•多肢選択式40問	
	技術系	基礎	•多肢選択式30問	•記述式専門試験2問 •個別面接と性格検査 •政策論文試験
		専門	•多肢選択式40問	
国家一般職（大卒）	事務系	基礎	•多肢選択式30問	•個別面接と性格検査
		専門	•多肢選択式40問 •一般論文試験	
	技術系	基礎	•多肢選択式30問	•個別面接と性格検査
		専門	•多肢選択式33または40問 •記述式1問	
国家一般職（高卒）	事務系	基礎	•多肢選択式40問	•個別面接と性格検査
		専門	•適性試験120問 •作文試験	
	技術系	基礎	•多肢選択式40問	•個別面接と性格検査
		専門	•多肢選択式40問	
地方公務員（大卒）	事務系 技術系	教養	•択一式40～50問	•面接試験
		専門	•択一式40問程度 または記述式3問程度 •論文試験	
地方公務員（高卒）	事務系 技術系	•択一式教養試験40～50問程度 •作文試験（2次で行われる自治体もあり） •適性試験		•面接試験
市町村公務員	事務系	•択一式教養試験50問程度 •作文試験（なしの自治体もあり）		•面接試験
	技術系	教養	•択一式教養試験50問程度 •作文試験（なしの自治体もあり）	•面接試験
		専門	•択一式40問程度	

2 基礎能力試験・教養試験では知能分野の攻略がカギ

基礎能力試験・教養試験は知識分野と知能分野に分かれている

基礎能力試験・教養試験には、知識分野と知能分野の２つの分野の試験があります。

●知識分野

一般的には、自然、人文、社会の科目があり、自然科目では、**数学・物理・化学・生物・地学**、人文科目には**文学・芸術・歴史・地理**、社会科目には**政治・経済・社会学・思想・時事・法律**の問題が出題されます。国家公務員の全ての基礎能力試験では、2024（令和６）年度試験から**情報**の科目が新たに追加されました。

●知能分野

一般的には、**文章理解**、**判断推理**、**数的推理**、**資料解釈**の科目があります。文章理解は、いわゆる長文読解問題で、英文も含まれます。判断推理は位置・方向に関する問題、組合せや集合に関する問題、命題に関する問題、暗号や空間図形の問題などが出題されます。数的推理は、整数の性質、割合や比、長さや速さ、確率・統計、図形の面積や体積などに関する問題が出題されます。資料解釈は、表やグラフなどから傾向や結論を導き出す問題です。判断推理、数的推理、資料解釈の３科目は、高校までの学業の中でなじみがない内容です。これらを克服できるかどうかが合否の分かれ目になるでしょう。

■知識分野の問題のレベル

知識分野の内容は、高校までに学んだ知識がしっかりと身についていれば対応できる内容です。

■知能分野に慣れよう

公務員試験では、判断推理・数的推理はつきものです。問題をたくさんこなして慣れておきましょう。

専門試験は、区分によって試験の種類・内容が異なる

●事務系

国家公務員一般職（大卒）では、政治学、憲法、民法、行政法、経営学、心理学、教育学、国際関係、社会学、英語などの**16科目から出題され、8科目を選んで解答**します。また、地方公務員（上級）の場合は、**政治、経済、法律が必須**で、**会計学、財政学、社会学などが選択科目**となっている場合が多いようです。政治では、政治思想史や国家観、経済では経済学史、経済原論に関する問題が出題されます。法律では、憲法、民法、行政法から出題されます。

学習方法としては、区分に関係なく共通して出題される政治・経済・法律の科目をまずしっかりと押さえておくとよいでしょう。どんな試験を受けることになっても対応できます。

●技術系

専門試験の科目は区分によって違います。試験の内容をよく調べて対応しましょう。

■専門試験の問題のレベル

専門試験の内容は、院卒、大卒、高卒で少しずつレベルが異なります。高卒では学校で学ぶ程度の基本知識で対応できますが、大卒は大学の専門知識が必要ですし、院卒になれば、高度な知識も必要になります。

知っとく

●上手に科目を選択しよう

行政職の国家公務員と地方公務員を併願する場合、共通する科目を上手に選んで学習すれば、効率よく対策できます。

■高卒の事務系の専門試験

高卒の事務系の試験では国家公務員・地方公務員ともに、専門試験は実施されません。

■基礎能力試験・教養試験の科目（一例）■

知識	自然	数学、物理、化学、生物、地学
	人文	文学、芸術、歴史、地理
	社会	政治、経済、社会学、思想、時事、法律
	情報	フローチャート、進数
知能	文章理解	現代文、英文
	判断推理	位置・方向の問題、組合せ・集合の問題、命題、暗号・空間図形の問題
	数的推理	整数の性質、割合・比、長さ・速さ、確率・統計、図形の面積や体積
	資料解釈	表やグラフから傾向や結論を導き出す問題

3 論作文は社会問題がテーマ、面接試験は個別と集団がある

論作文試験は、社会問題がテーマになる傾向がある

多くの公務員試験の２次試験では、**論文・作文試験**が実施されます。制限時間の中で、制限文字数の範囲で、与えられたテーマに沿った論文を書く試験です。文字数は、**少ない場合で800字、多い場合は1,600字**程度です。制限時間は60～90分が最も多く、まれに120分という場合もあります。

テーマは、少子高齢社会への対策、持続可能な社会の実現に向けた取組み、ワーク・ライフ・バランス、自然災害対策など、現在**社会問題となっているテーマ**に関するものが多い傾向です。地方公務員の場合は、それに加えて、その自治体で積極的に取り組んでいる課題、その**自治体に特有の課題**についての問題も出題されます。また、高卒程度の作文試験では、「自分が大事にしている考え方は何か」「チャレンジしてみたいことは何か」などのような**個人の考え方**についての問題も多く出題されています。

> **■国家総合職（院卒）には論文試験がない**
> 国家総合職（院卒）の２次試験では、論文試験はありません。その代わりに、記述式専門試験があります。短い論文試験のようなもので、知識と文章力が必要です。

> **■時事用語を攻略しよう**
> 論作文では時事的な社会問題がテーマとして取り上げられますが、知らないテーマでは、説得力のある論作文を書くことはできません。時事用語については、概略を自分の言葉で説明したり、書いたりできるようにしておく必要があります。これは面接対策としても有効です。

■ 論作文試験のテーマの特徴 ■

国家公務員	地方公務員	
	大　卒	高　卒
〔一般職〕 • 時事的要素のある社会問題に関して自分なりの政策立案をまとめる	• 時事問題に関する分析や説明と自分の考え • その自治体に特有な行政課題に対する解決策	• 時事問題に関する分析や説明と自分の考え • 自分の経験に関する説明と考え

面接試験には、個別面接と集団面接がある

人物試験の中心は、いわゆる面接です。面接官数人に対して自分１人が質問を受ける**個別面接**と、面接官数人に対して受験する人が３人程度の**集団面接**があります。個人面接の場合は、「あなたの大学での専門は何ですか」「なぜこの試験を受けようと思ったのですか」など、受験する**本人に関する質問**が中心になります。一方、集団面接の場合は、個人面接の場合の質問内容に加えて、「○○という人がいた場合、あなたはどうしますか」「○○を解決するためにはどうしたらよいと思いますか」というように、何かの**テーマについての考え方**を問われることもあります。他の人の考え方なども聞き、それについての意見を述べ、討論するという場合もあります。

適性試験は事務処理能力、性格検査は適性を調べている

性格検査は面接の参考のために行われていますが、主に、公務員として**多くの人のために働くということへの適性**を調べています。いろいろな意味で偏った性格の人でないことを確かめていると考えられます。

適性試験は**事務処理能力**を調べるものです。根気強さや、作業に慣れる速さなどがわかります。早くできるようになっても、すぐにペースが落ちたり間違いが多いという性質がわかるような試験です。スピードは必要ですが、早く終わればよいというだけではないことを承知しておきましょう。

■集団討論のテーマ

集団討論の場合には、何か時事問題をテーマとして討論することになります。正しい知識に基づいた発言をするためには、やはり時事用語の理解が基本です。

知っとく

●適性試験

適性試験は、どういうものか一度はやってみる必要がありますが、練習の必要はありません。慣れていたからといってよい結果になるとは限らないからです。

4 知識分野対策―その1
数学・物理・化学・生物・地学はこうしてものにする

⊙：学習が楽になる情報　△：注意が必要な情報

数学

①**2次関数**と**関数のグラフ**に関する出題が多いのが特色です。グラフから読みとれる情報を整理できるようにしておきましょう。

②2次方程式、不等式についてもよく出題されます。数と式の計算、**因数分解**などの基本的な知識をしっかり押さえておきましょう。

③平面図形において三平方の定理を用いる問題もよく出題されます。

⊙いずれの問題も数Ⅰレベルですから苦手な人も、少し復習すればできるようになります。

問題　次の図のような、AB ＝ 5、BC ＝ 7、CA ＝ 6 とする三角形 ABC の面積はどれか。

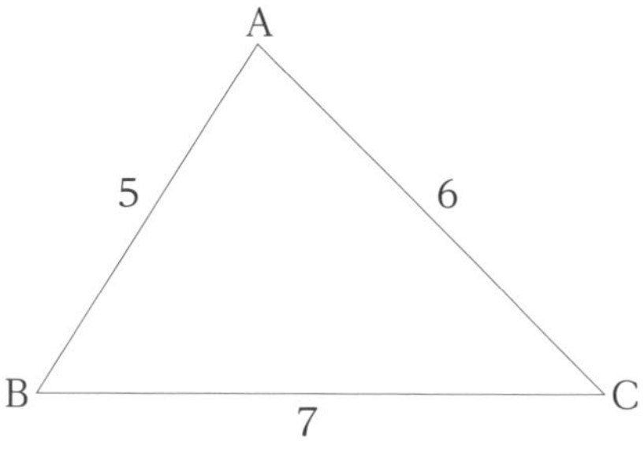

1　3

2　$3\sqrt{6}$

3　$6\sqrt{6}$

4　$\dfrac{21}{\sqrt{2}}$

5　$\dfrac{35\sqrt{3}}{4}$

（地方上級）

正解　3

物理

①力学に関する**計算問題**が最も多く出題されます。計算力をつけておきましょう。特に物体落下時の速度や加速度や摩擦に関する問題、運動量保存の法則、ドップラー効果についての出題が毎回のようにあります。

②波動、放射線などの電磁気、光の性質に関する問題も頻度が比較的高いので、基本的な知識を復習しておきましょう。

③熱、エネルギー、電気の問題についても基本的な事項を押さえておきましょう。

◉難問が出題されることはないので、基礎的な過去問題で練習するのが受験対策の近道です。

◉平均的な問題が解ければよいので、パターンを習得すれば、文系の人でも得点源にすることは可能です。

問題　次の文章の空欄 [ア] ～ [ウ] に当てはまる語句又は式の組合せとして、正しいのはどれか。

下図のように、滑らかな曲面上の地点Aにおいて小球から静かに手を離すと、小球は降下し、最下点Bを通過するとき、小球の位置エネルギーは [ア] 、運動エネルギーは [イ] となり、そのときの小球の速さは、基準面から地点Aまでの高さをh、重力加速度をgとすると [ウ] で表される。ただし、小球の大きさ、曲面上の摩擦及び空気抵抗は無視する。

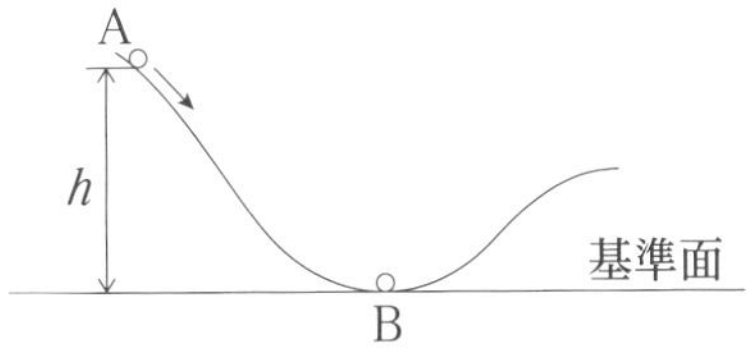

	ア	イ	ウ
1	最大	ゼロ	$\sqrt{gh}$
2	最大	ゼロ	$\sqrt{2gh}$
3	最大	ゼロ	$2\sqrt{gh}$
4	ゼロ	最大	$\sqrt{gh}$
5	ゼロ	最大	$\sqrt{2gh}$

(地方上級)　**正解　5**

化学

①**物質の状態、物質の構造や性質**に関する出題が最も多くなっています。

②有機化合物の問題は減る傾向にあり、**無機化合物**に関する出題が多くなっています。いずれにしても、周期律表と主な元素記号はしっかりと覚えておきましょう。

③電池に関する出題もよく見られます。

④最近は、オゾン層や大気汚染など環境問題と関係する内容の出題も多くなってきています。教科書の範囲だけにとどまらず、社会問題を化学の目でとらえて学ぶことが必要になっています。

⊙難問が出題されることはないので、過去問題で練習しながら基本的な知識を身につけていけば対策としては十分です。極端に深入りしないようにしましょう。

問題 物質の構成に関する記述として、妥当なのはどれか。

1　1種類の元素からできている純物質を単体といい、水素、酸素及び鉄がその例である。

2　2種類以上の物質が混じり合ったものを混合物といい、水、二酸化炭素及びアンモニアがその例である。

3　2種類以上の元素がある一定の割合で結びついてできた純物質を化合物といい、空気、海水及び食塩水がその例である。

4　同じ元素からなる単体で、性質の異なる物質を互いに同位体であるといい、ダイヤモンド、黒鉛及びカーボンナノチューブは炭素の同位体である。

5　原子番号が等しく、質量数が異なる原子を互いに同素体であるといい、重水素及び三重水素は水素の同素体である。

（地方上級）

正解　1

生物

①どの分野からもまんべんなく出題されていますが、細胞、血液や内臓の組織、呼吸、消化、内分泌と代謝など**人体に関する問題**が最も出題頻度が高い分野です。植物に関しては**光合成の仕組み**がよく出題されていますので、必ず覚えておきましょう。

②**遺伝や進化に関する問題**も増加傾向です。

③生態系と自然環境との関連についての時事的要素も含まれた出題がこれまでも見受けられました。原発の事故があったことなども含めて考えると、今後も出題される可能性がありますので、熱帯雨林、サンゴ礁、湿原、干潟などの特徴を押さえておきましょう。

⊙生物は、ほとんどは暗記で攻略できる科目です。重要事項を覚えれば着実に得点できるので、自然科学分野が苦手な人は、生物に力を入れることをおすすめします。

△近年は、グラフや図表を見て判断する出題も増える傾向にあります。読み方、判断力を養っておきましょう。

問題　ヒトの血液に関する記述として、妥当なのはどれか。

1　血液は、体積の約55％の有形成分と約45％の液体成分からできており、有形成分のうち最も多いのは、白血球である。

2　血しょうは、約90％が水分であり、栄養分や老廃物を運搬するほか、血しょう中の成分が血液凝固の反応において繊維状のフィブリンとなる。

3　赤血球は、核を有する球状の細胞であり、赤血球に含まれるグロブリンによって体内の組織へ酸素を運搬する。

4　白血球は、核がない中央がくぼんだ円盤状の細胞であり、出血したときに集まって傷口をふさぐとともに血液凝固に働く因子を放出する。

5　血小板は、核を有する不定形の細胞であり、体内に侵入した細菌やウイルスなどの異物を食作用により分解し排除するほか、免疫反応に関係している。

（地方上級）　**正解　2**

地学

①大気、海洋、気象などの**自然現象**についての問題が頻出です。

②**地殻変動と地震のメカニズム、地球の歴史**などに関する出題も多くなっています。

③天文関係の出題は比較的少ないですが、日食や月食などの天文現象が話題となるため、省くことはできません。

④問題の中で使われる**専門用語の意味**が正しく理解できているかが問われます。覚えていれば点がとれるので用語のチェックはしっかりとやっておきましょう。

⊙地学については、出題数が比較的少なくなる傾向にありますので、頻出分野に絞って対策すればよいでしょう。

問題　地質時代に関する記述として、妥当なのはどれか。

1　三畳紀は、新生代の時代区分の一つであり、紡錘虫（フズリナ）が繁栄し、は虫類が出現した時代である。
2　ジュラ紀は、中生代の時代区分の一つであり、アンモナイト及び恐竜が繁栄していた時代である。
3　第四紀は、新生代の時代区分の一つであり、頭足類及び始祖鳥が出現した時代である。
4　デボン紀は、中生代の時代区分の一つであり、三葉虫及び多くの種類の両生類が繁栄していた時代である。
5　白亜紀は、新生代の時代区分の一つであり、無脊椎動物が繁栄し、魚類の先祖が出現した時代である。

（地方上級）　正解　2

5 知識分野対策—その２
文学・芸術・歴史・地理・情報はこうしてものにする

◉：学習が楽になる情報　△：注意が必要な情報

文学・芸術

①文学の古典については、『源氏物語』『徒然草』といった高名な作品からの出題に限られています。しかも、内容を解読して答えるような問題ではないので、有名な作品の出だし部分を覚えておくことと、大まかなストーリーや特徴を押さえておく程度でよいでしょう。

②近代文学については、**作者と代表作**を結びつけて覚えておきましょう。

③芸術は美術、演劇、建築、音楽といった幅広い分野からまんべんなく出題がありますが、**作者と作品名**をしっかり把握しておくと対応できます。

△文学も芸術も範囲が広い割には出題が少ないので、過去問題を解く程度で深入りは避けるべきです。

問題　和歌Ａ～Ｃとその作者の組合せとして、最も妥当なのはどれか。

A　わが庵《いほ》は都のたつみしかぞ住む世をうぢ山と人はいふなり
B　世の中にたえて桜のなかりせば春の心はのどけからまし
C　ひさかたの光のどけき春の日にしづ心なく花のちるらむ

	A	B	C
1	喜撰法師	在原業平	紀友則
2	喜撰法師	小野小町	紀貫之
3	僧正遍昭	紀貫之	文屋康秀
4	僧正遍昭	小野小町	紀友則
5	文屋康秀	在原業平	紀貫之

（警察官Ⅰ類）　**正解　1**

歴史

①**日本史**は、**江戸時代～現代**までの出題が中心です。江戸時代より前については重要事項だけを押さえ、それ以降に力点をおきましょう。

②時代横断的にテーマを取り上げた税制史のような問題も散見されます。一見難しそうですが、基本的な知識で対応できる内容なので、特別な勉強はしなくても大丈夫です。

③**東洋史**では、**中国史**（特に唐以降が重要）を最重視してください。各王朝の特色や諸制度は把握しておきましょう。

④**西洋史**は、中世以降からの出題が多いので、大航海時代、宗教改革、市民革命から第二次世界大戦までを中心に学習してください。

⑤**東西の交流史**は頻出です。ひととおり学習が終わったら、東西の年表をリンクさせて学習しておくとよいでしょう。

△歴史は細かな暗記ではなく、時代の大まかな流れをイメージすることに重点をおきましょう。

⊙国際関係など、他の科目と関係の深い世界史を最優先で学習し、次に日本史を学習したほうが効率よく学習できます。

問題　イギリスの産業革命に関する記述として、妥当なのはどれか。

1　イギリスの産業革命は、蒸気機関を利用した力織機をフルトンが発明したことにより、綿織物工業から始まった。

2　多くの農民が都市に移動して工場労働者となり、都市の人口が急増したが、都市の治安や衛生状態は良好で、労働者の生活環境は快適であった。

3　産業革命が始まると、工場の機械化により、工場で働く女性や子どもは、低賃金で長時間の労働からすべて解放された。

4　産業革命の進行に伴って交通も発達し、スティーヴンソンが蒸気機関車を実用化すると、その後、主要都市を結ぶ鉄道網が整備された。

5　貿易で利益を得ていた商人や大農場を経営する地主たちは、急激な工業化の進行に反対し、機械を打ちこわす、ラダイト運動を展開した。

（地方初級）　　正解　4

地理

①**気候・地形・農林水産業・資源・民族・領土**といった重要事項を中心に押さえておきましょう。

②高頻度に出題される地域は、アメリカ合衆国、ヨーロッパ、南米、中国、東南アジアです。日本の農林水産業の現状も重要です。

③**統計資料**を用いて具体的な国を指摘させる問題が散見されるので、どの国がどのような風土を有し、どのような特産品を持っているのかをまとめて押さえておくとよいでしょう。

⊙地理は、出題数が減少傾向にあるので、重要事項を押さえる程度でよいでしょう。

△時間があれば、統計資料の読み方にも慣れておきましょう。

問題　世界の植生に関する記述として、妥当なのはどれか。

1　サバナとは、アメリカ合衆国中部からカナダ南部に広がる長草草原のことであり、土壌が肥沃なため、世界有数の穀倉地帯となっているところがある。
2　ステップとは、砂漠の周辺に広がる、丈の低い草に覆われた草原のことであり、土壌が肥沃なため、大規模な小麦栽培や牧畜が行われているところがある。
3　タイガとは、ユーラシア大陸や北アメリカ大陸の北部に分布する、広葉樹を主体とする森林のことであり、多種類の樹種から形成されている。
4　ツンドラとは、高緯度地方や高山に分布する植生地域のことであり、高木が点在するほか、一年中地衣類やコケ類が生育している。
5　プレーリーとは、雨季と乾季がある熱帯に分布している草原のことであり、丈の高い草に樹木がまばらに生えており、リャノやカンポともよばれる。

（地方初級）　**正解　2**

情報

①情報は、2024（令和6）年度より、国家公務員試験の基礎能力試験に新たに追加された科目です。まだ傾向がわからず対策が立てにくいので、**高校で学習する程度の情報の基本的な内容は押さえておきましょう**。

②国家公務員試験の高卒程度の例題には、**進数**の問題が取り上げられています。**2進数、10進数、16進数**について、それぞれの特徴を理解するとともに、**相互に変換**できるようにしておきましょう。

③国家公務員試験の大卒程度の例題には、**フローチャート**についての問題が取り上げられています。同様な内容の出題が予想されるので、**フローチャートに使用される記号や基本的な書き方**を覚えておきましょう。

⊙情報は、出題数は多くありませんが、国家公務員試験の基礎能力試験では必ず出題されます。志望している人は押さえておきましょう。

問題　10進法で表された数188は、2進法ではどのように表されるか。

1　10011110
2　10111100
3　11001111
4　11011110
5　11111100

（国家一般高卒 例題）　　**正解　2**

6 知識分野対策—その3 政治・経済・社会学・思想はこうしてものにする

⊙：学習が楽になる情報　△：注意が必要な情報

政治

①政治は、**憲法**に関する問題が多く、中でも**基本的人権**については専門科目並みの知識が必要です。その他、**国会**、**内閣**、**裁判所**も要注意です。

②範囲が広大で、かなりの難問もあることから、完璧主義を捨て、基本的な事項を確実にものにする姿勢を大切にしてください。そのためには、あまり分厚くないテキストを利用し、知らない知識が出てきたらそのつど調べ、しっかりと**理解しながら覚える**ようにしましょう。そうすることで、難しいと感じていた知識も定着しやすくなります。

③問題集も薄めのもの1冊でよいので、繰り返し取り組みましょう。答えがすぐに頭に浮かぶようになれば、力がついた証拠です。

⊙政治学、行政学、社会学の3科目は内容的に重なっている部分が非常に多いので、相乗的に得点することができます。ぜひ得意科目にしましょう。

問題　法の下の平等に関するA～Dの記述のうち、妥当なもののみを挙げているのはどれか。

A：明治憲法には平等原則に関する一般的な規定は設けられていなかったが、日本国憲法は、すべての国民が法の下に平等であるとの基本原則を定めるとともに、個別的に、華族制度などの貴族制度の禁止、栄典に伴う特権の禁止、教育の機会均等などの規定を設けて、平等原則を様々な面において保障している。

B：日本国憲法は、女性の地位について、個人としても家族生活でも、男女の平等を規定している。法律のレベルでは、男女雇用機会均等法や男女共同参画社会基本法が、男女の実質的平等の実現に向けた規定を設けている。また、最高裁判所は、女子の定年年齢を男子より低く定めた私企業の男女別定年制を、性別のみによる不合理な差別であるとして無効としている。

C：議員定数の不均衡の合憲性は訴訟で度々争われており、最高裁判所は、各選挙人の投票価値の平等は憲法が保障するものとの立場をとっているが、平成21年8月に施行された衆議院選挙の違憲無効が争われた訴訟においては、人口の少ない地方における定数の急激な減少への配慮という一人別枠方式の合理性は失われていないとして合憲状態にあるとし、当該選挙を有効とした。

D：憲法の定める平等原則は原則として日本国民に適用されるものであり、日本国籍の取得には、本人と我が国社会との密接な結び付きが求められることから、国籍法は、日本国民である父と日本国民でない母の間に生まれ、生後認知を受けた非嫡出子については、その父母の婚姻が成立し、嫡出子となった場合に限って日本国籍の取得を認めている。

1　A，B
2　A，C
3　B，C
4　B，D
5　C，D

(国家専門職)　　**正解　1**

経済

①経済学は専門科目の範囲にもなっていますが、基礎能力試験・教養試験においても出題数が多く、レベル的にも専門科目と同等の知見が必要とされますので、しっかりとした対策が必要です。

②出題範囲は、**ミクロ経済**、**マクロ経済**といった従来からの評価が定まった学説がほとんどです。目新しい個別の経済モデルが問われ

△経済学は本腰を入れた学習が必要です。問題数が多いだけに合否を大きく左右します。頑張って得意科目にすることで、合格に大きく近づきます。

ることは少ないので、過去問題でのトレーニングが有効な学習方法です。

③経済事情では、**時事**に即した出題が多くなっています。日本その他の主要国の**経済・金融情勢**、それを示す**経済指標**、**貿易**、**国際経済協力機構**などの動きがよく問われます。試験対策としては、日々、ニュースや新聞などから情報を集めることが近道でしょう。

問題　次のＡ～Ｃは、経済学者に関する記述であるが、それぞれに該当する経済学者の組合せとして、妥当なのはどれか。

A　イギリスの経済学者で、比較生産費説を展開し、貿易に対する国家の干渉をやめ自由貿易を行うことが貿易に参加する国の利益になると主張した。
B　イギリスの経済学者で、不況の原因が社会全体の有効需要の不足にあると考え、完全雇用の実現には、政府の積極的な財政政策などによる有効需要の創出が必要であると主張した。
C　ドイツの経済学者で、各国の経済はそれぞれ違った発展段階にあり、遅れて工業化をはかる国は、関税や輸入制限などによって将来育成したいと考える産業を保護する必要があるとして、保護貿易主義を主張した。

	A	B	C
1	ケインズ	リスト	リカード
2	リカード	ケインズ	リスト
3	リカード	リスト	ケインズ
4	リスト	ケインズ	リカード
5	リスト	リカード	ケインズ

(地方初級)　**正解　2**

社会学

①**著名な学者**とその**学説**、およびその**簡単な内容**や**重要なキーワード**の組合せを覚えていくのが社会学の試験対策のポイントです。一覧表を作るなどして繰り返しチェックすると効果的でしょう。

②出題は多くの場合、学者名・学説・学説の内容またはキーワードの組合せの間違いを問うもので、深い内容を問われることはありません。

③社会事情は出題範囲が広くテーマも多岐にわたっていますので、すべてを学習しようと思うと時間がいくらあっても足りません。そこで、新聞やテレビの時事情報に注意しておき、よく取り上げられる用語を覚えるようにすると試験対策として効果的です。

⊙社会学は基本的には暗記科目であり、重要事項を修得すれば、かなり得点できます。

△知らない用語は、こまめに調べてわかるようにするという習慣をつけましょう。

問題 コントの社会変動論に関する記述として、妥当なのはどれか。

1　コントは、人間の精神は、神学的段階、形而上学的段階、実証的段階という３つの段階を経て進歩するという３段階の法則を提唱し、社会もまた、軍事的状態、法律的状態、産業的状態という進歩の過程をたどるとした。

2　コントは、社会進化論的な立場から、社会は強制的協働に基づく軍事型社会から自発的協働に基づく産業型社会へと進化するとした。

3　コントは、物質文化が法律や慣習などの非物質文化よりも急速に変化することで起こる文化遅滞により、社会変動の不均衡は生じるとした。

4　コントは、歴史的社会の循環的反復を主張し、社会の変動過程をエリートの周流による均衡の破綻と回復の過程であるとした。

5　コントは、社会の発展を伝統的社会から高度大衆消費時代に至る５段階に区分する経済成長段階説を唱え、その最終段階には、どの先進産業社会も社会体制のいかんを問わず、類似した状態にたどりつくとした。

(地方上級)　**正解　1**

思想

①思想では、**西洋思想**と**東洋思想**に分けられ、出題は西洋思想のほうがやや多めです。

△あまり深入りせず、軽めに重要事項を押さえる程度の学習にしておいたほうがよいでしょう。

②西洋思想は、難度が高くなりつつあるため、配点の少なさと難度を考慮すれば、多くの時間を割くのは得策とはいえません。

③東洋思想は、著名な思想家も少ないので、テキストにある**思想家の名前**、その**著作**、思想の内容を特徴づける**キーワード**という３つの要素を覚えておけば大丈夫です。

⊙東洋思想は、出題されるテーマが限定されているので得点源にしやすい科目です。

問題　我が国の思想家に関する記述として最も妥当なのはどれか。

1　福沢諭吉は「東洋のルソー」と呼ばれ、自由民権運動の理論的指導者として活躍した。また、米国から帰国した森有礼の発議で創設された明六社の一員として、文明開化を推進し、著書『民約訳解』において、民衆は「恢復《かいふく》（回復）的民権」をめざすべきことを説いた。

2　内村鑑三は、著書『武士道』において、理想的な自己のあり方を追求し、どこまでも個性を尊重する「自己本位」の立場を説いた。また、自らを「永遠の不平家」と評し、日々のささいな仕事に全力で取り組む「諦念（レジグナチオン）」の境地で生きることを理想とした。

3　美濃部達吉は、天皇主権の大日本帝国憲法の下では主権在民を主張することはできないが、憲法の運用を工夫することによって民衆の意向を尊重し、デモクラシーに近づくことは可能であると考えた。そして、「民本主義」を主張し、『風土』など多数の著書を残した。

4　丸山眞男は、一般の庶民（常民）の生活・風習、受け継がれてきた民間の伝承の調査・研究を通して、日本の伝統文化を明らかにしようとした。日本の民俗学の創始者とも言われ、『菊と刀』など多数の著書を残した。

5　西田幾多郎は、著書『善の研究』において、独立した自己（主観）が自己の外にある対象（客観）を認識するといった、主観と客観との対立を前提とした西洋近代のものの見方を批判した。そして、哲学の出発点を、主観と客観とに分かれる前の「純粋経験」に求めた。

（国家専門職）　　**正解　5**

7 知能分野対策―その1 文章理解はこうしてものにする

⦿：学習が楽になる情報　△：注意が必要な情報

現代文

①文章理解は、国家公務員の基礎能力試験では、8～11問出題されます（高卒程度は7問）。そのほぼすべてが現代文と英文です。文章理解を得点源にしている受験生は多いので、この科目で失敗すると苦しい展開になります。問題数が多いだけに、捨てることはできませんので、苦手な人は、たくさんの問題を解くなど対策が必要です。

②地方上級では、文明論的な文章の出題が多くなっていますので、その種の文章理解の問題を中心に解いておきましょう。

③文章理解の問題形式は、**文章整序**、**空欄補充**、**主旨把握**という3つがあります。そのうち、主旨把握の出題割合が高くなっています。

④空欄補充や文章整序問題は、段落ごとの**接続詞**、**指示語**などに注意して印をつけていくと読み返さなくても答えがわかります。

⑤主旨把握は、時間節約のためには、**大事なポイント**に下線や囲みなど自分なりの印を入れながら読む練習をしましょう。

⑥手軽な勉強法としては、「天声人語」等の短めのコラムを毎日読み、それを50～100字程度の**短文に要約する訓練**がよいでしょう。これなら10分程度でできます。

△現代文については、短時間で文章を読み、選択肢を選ぶために、設問を読んでポイントを押さえてから文章を読むようにしましょう。

△各パターンに対する自分なりの作業方法を身につけておきましょう。

⦿「天声人語」とは朝日新聞朝刊一面に連載されているコラムのことで、旬の話題が6段落603文字でまとめられています。読解力だけでなく、時事の理解や語彙力の向上にも役立ちます。

問題 次の文の空所 A 、 B に該当する語又は語句の組合せとして、最も妥当なのはどれか。

京都・奈良を中心とした地方の、低い丘陵《きゅうりょう》にかこまれた自然は、季節の変化に富んでいる。何百年の文化がここに栄えて、詩人や画家、建築家さえもが、季節に敏感にならなかったとすれば不思議である。「秋来ぬと眼にはさやかにみえねども」微妙な風の肌触りに秋を予感するほど、季節の感覚が研《と》ぎすまされていたのは、俳人が季題に執しはじめるよりもはるかにまえのことであった。短詩型は日本に固有のものではない。しかし秋の予感というただそれだけのことで、一篇の詩を書きつけるのに充分だと考えたのは、おそらく日本の詩人だけであったろう。画家が詩人と共に紅葉や柿一枝に敏感であったことはいうまでもない。中世から江戸時代初期にかけて京都に建築し、庭をその周囲に配した何人かの芸術家が、秋の移り易い光線の変化を、あらかじめ周到な計算のうちにとり入れていたであろうことに、ほとんど疑いの余地はない。しかし秋ばかりではなく、春には花と霞、夏には螢と夕立、冬には枯木と雪があり、それぞれの季節にそれぞれの風俗があった。絵巻物から浮世絵版画まで、『古今集』から天明の俳人まで、いや、さらに時代を降って今日まで、 A に対する敏感さは、ほとんどすべての日本人を特徴づけているといってもよい。日本の自然は美しい、と日本人がいう。他の国にくらべて美しいという意味ならば、客観的判断として少しも正確な言分ではなかろう。山紫水明はこの国にかぎらない。荒い自然の大きさからいえば、島国の風物は箱庭の域を出ない。しかし一度観光宣伝の立場をはなれるとすれば、第三者の立場からの比較検討ほど無意味なことはない。日本の自然が美しい、と日本人がいうのは、比較の問題ではなく自然への B である。その意味で、この言葉ほどよく日本人を語るものはないのだ。

（加藤周一「日本人とは何か」による）

	A	B
1	季節	愛の告白
2	季節	尊敬と畏怖
3	自然	感覚の問題
4	自然	尊敬と畏怖
5	風物	愛の告白

（地方上級）

正解 1

英文

①学習法は、過去問題の英文と和訳の両方を、自分に無理のない分量を決めて毎日**繰り返し読む**ことです。和訳を書く必要はありません。日本語訳をまず頭に入れ、その後英文を読み、内容を頭に置きながら英文を音読するのが効果的です。日常の学習として、英字新聞に目を通してみることができるとよいでしょう。

②英語は同じ英文を繰り返し読むのが非常に効果的です。2回、3回と読むうちに、わかりやすくなっていきます。

③知らない単語や熟語はすぐに辞書を引くのではなく、**前後の文脈から類推**するように心がけて文意をつかめるようトレーニングすると、試験対策として効果的です。この訓練は最初は負担に感じるかもしれませんが、徐々に軽減されていきます。そして、1か月もすれば、知らない単語があっても読みこなすことに慣れてきます。

④問題形式は主旨把握が多いので、現代文同様、読みながら重要なところに下線をひくなどして、読み返しの手間が省けるようにしましょう。文章整序、空欄補充問題も出題されますが、難解な文章や表現はなく、和訳が可能なものが出題されています。

⊙英文解釈のほうは、選択肢の取捨選択のレベルは現代文よりもずっと低いので、全体の意味が大づかみできれば正解にたどりつけます。

⊙（注）として難しい単語の意味が文末に記されていることも多いので、（注）は先に読んでから始めましょう。

問題　次の英文中に述べられていることと一致するものとして、最も妥当なのはどれか。

Suddenly she woke up and wondered what had happened. Toto put his cold little nose into her face and made a sad noise. Dorothy sat up and noticed that the house was not moving; nor was it dark, for bright sunshine came in at the window. She got up from her bed and, with Toto behind her, ran and opened the door.

She was really surprised when she looked out. Her eyes grew bigger and bigger at the wonderful things she saw.

The cyclone* had put the house down very gently —— in the middle of a really beautiful country. It was very green and there were lots of flowers, birds, and big fruit —— trees. Nearby there was a small river rushing along between some green fields. The little girl, who had lived for so long by gray cornfields*, was very happy to see all this beauty.

（Frank Baum：関優子「英語で読むオズの魔法使い」による）

＊ cyclone……竜巻
＊ cornfields……とうもろこし畑

1　トトは、冷たい小さな鼻をドロシーから押し付けられたので、悲しそうな声を出した。
2　ドロシーはベッドから出て、彼女の後ろにいたトトが駆け出してドアを開けた。
3　竜巻は、とても美しい国のまん中に、家をそっと下ろしていた。
4　家のまわりは、草木が生い茂り、花が咲き乱れていたが、近くに小川は流れていなかった。
5　ドロシーは、灰色のとうもろこし畑の近くに住みたいと願っていた。

（地方初級）　　**正解　3**

8 知能分野対策―その2
判断推理・数的推理・資料解釈はこうしてものにする

◉：学習が楽になる情報　△：注意が必要な情報

判断推理

①与えられた条件から**推理**して結論を導き出すのが判断推理の問題ですが、内容的にはパズルのようなものです。学校での学習科目では、**数学の文章題**に近いものです。

②問題はいくつかのパターンにまとめることができます。中でも、**位置や順位を特定させる問題**がよく出題されます。どのパターンになるのかを意識しながら学習すると、効果的です。

③最近は、パターンに分類しにくい**総合問題**の出題が増加しており、難化傾向も見られますが、対策としては**過去問題を繰り返し学習**する以外にありません。過去問題を解くことで、問題に慣れると同時にセンスやひらめきを養うつもりで取り組んでいきましょう。

④訪問先や到着時間を問う問題では、与えられた**条件文を図表にしてみる**ことで解決のヒントになることが多いようです。

⑤順位や位置を問う問題は個々人の主張を矛盾なく組み合わせていくことで解ける問題がほとんどです。ここでも**略図を用いて視覚化**することが重要です。

⑥平面立体図形は問題集等で柔軟な**想像力**を身につけてください。

△知能分野では、慣れるまでに時間のかかる判断推理から勉強をすすめることが必要でしょう。

△総合問題の数は多くないので、そのための特別な対策をするのではなく、各パターンを確実にできるように練習すれば対策として足ります。

問題　サッカーの地区大会がトーナメント方式で行われ、A～Hの8チームが参加した。試合について次のことが分かっているとき、「優勝チーム」と「決勝戦での優勝チームの得点」の組合せとして正しいのはどれか。

○トーナメントの組合せは図のとおりであった。
○全ての試合は1点以上の得点の差がついて勝敗が決まり、引き分けはなかった。
○各チームの得点の合計と失点の合計は表のとおりであったが、一部は未記入のままとなっている。

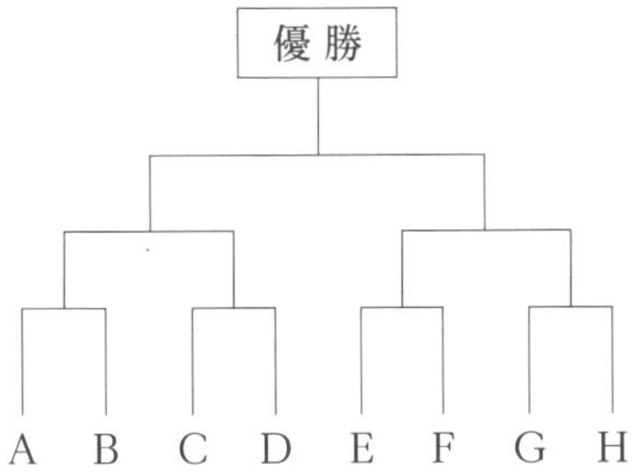

チーム	得点の合計	失点の合計
A	1	
B		6
C	0	2
D	4	
E	3	3
F	2	
G		1
H	5	4

	優勝チーム	決勝戦での優勝チームの得点
1	B	3
2	B	4
3	D	1
4	H	3
5	H	4

（国家一般職）

正解　2

数的推理

①**二次関数、方程式、不等式**といった基礎的なものから確率までかなり広範囲に出題される上に、出題数も多いので、しっかりとした対策をしておく必要があります。そのためには、まず、基礎から地道に勉強しましょう。

②確率については、**個数の処理、確率の基礎**が理解できていれば解ける問題がほとんどです。

③方程式や不等式等については、問題が**長文化**する傾向がみられますが、実際にはそれほど難易度は高くありません。あわてずに問題文をよく読んで取り組みましょう。

⦿この科目は慣れてくると、同じ要領で解くことができ、正解しやすいといえますので、得点源にできます。

また数的推理は、数的処理という科目名で試験を実施しているところもあります。

△中学程度の数学の基本書の文章題を復習するのが効果的なようです。

問題 ある格付け会社は企業をA、B、C、D（ランク外）の４段階で格付けしている。表は、この格付け会社によってA、B、Cに格付けされた企業が１年後にどのような格付けになるかの確率を示したものである。これによれば、現在Aに格付けされている企業が４年以内にD（ランク外）の格付けになる確率はいくらか。ただし、いったんD（ランク外）の格付けになった企業が再びA、B、Cの格付けを得ることはないものとする。

1年後の格付け ＼ 現在の格付け	A	B	C	D（ランク外）
A	90%	10%	0%	0%
B	10%	80%	10%	0%
C	5%	10%	80%	5%

1　0.1%
2　0.125%
3　0.15%
4　0.175%
5　0.2%

（国家一般職）

正解　4

資料解釈

①**数表やグラフの見方**を問う問題や、数表・グラフから計算式を作り出すことで解を求める**考察力**を試す問題が目立ちます。
②数学ではないので計算力はさほど高いものが求められているわけではありません。数表・グラフの**見方**、**読み方**をしっかり理解しておけば、計算をすることなく答えを導くことが可能です。
③毎回、1 ~ 4 題は出題される分野ですので、しっかり準備して得点につなげましょう。

△与えられたグラフから何を読み取るかといった趣旨の科目ですが、実際の公務員の職務に要求される重要な能力といえます。

問題 次の表から確実にいえるのはどれか。

水産加工品のうち食用加工品の生産量の推移（全国）
（単位 t）

品　目	平成 26 年	27	28	29
ねり製品	531,982	530,137	514,397	505,116
冷凍食品	263,164	258,481	253,851	248,443
塩 蔵 品	191,121	184,655	171,171	166,340
塩 干 品	162,353	164,566	156,310	148,119
節 製 品	88,770	83,833	81,523	81,061

1　平成 28 年において、「ねり製品」の生産量の対前年減少量は、「冷凍食品」のそれの 3 倍を上回っている。
2　平成 26 年から平成 29 年までの 4 年の「ねり製品」の生産量の 1 年当たりの平均は、52 万 t を下回っている。
3　平成 27 年における「節製品」の生産量の対前年減少率は、6%を超えている。
4　平成 26 年の「塩干品」の生産量を 100 としたときの平成 29 年のそれの指数は、90 を下回っている。
5　平成 27 年における「塩蔵品」の生産量に対する「節製品」の生産量の比率は、平成 29 年におけるそれを上回っている。

（地方初級）　**正解　1**

9 専門試験対策―その1
政治学・国際関係・社会政策はこうしてものにする

⦿：学習が楽になる情報　△：注意が必要な情報

政治学

①政治学では、**政治学基礎、政治過程、政治制度**からの出題が大半です。一見、範囲は膨大に思えるかも知れませんが、どれも奇をてらった出題はないので、重要事項を押さえれば対策としてはＯＫです。

②**政治学基礎**は最も重要で、国家一般職、地方上級の試験では、ほとんど毎回出題されています。内容としては、**政治思想史**に登場する高名な学者の思想やその学説についての正誤判断がほとんどです。基礎理論の**人名**や**概念**、**国家観**、理論の**キーワード**さえ押さえておくと、得点源にすることが可能な科目ですし、しかも短期間の勉強で成果をあげることができます。

⦿重要テーマに絞って学習すると、比較的短時間で合格ラインに到達することが可能です。

問題　政治的無関心に関する記述として、妥当なのはどれか。

1　リースマンが分類した政治的無関心の類型のうち、伝統型無関心とは、政治的知識や情報を持っているのにもかかわらず、政治に対する冷淡な態度をとっているタイプである。

2　リースマンが分類した政治的無関心の類型のうち、現代型無関心とは、政治に対する無知を背景に、政治は身分的に特定の少数者が行うものと考えているタイプである。

3　ラスウェルが分類した政治的無関心の類型のうち、無政治的態度とは、無政府主義者などのように、政治が自分の理想や価値観に反していると感じ、政治そのものを軽蔑したり、否定したりする態度である。

4　ラスウェルが分類した政治的無関心の類型のうち、反政治的態度とは、経済・芸術・宗教など政治以外のものに関心を集中する結果、政治に対する知識や関心が低下するものである。

5　ラスウェルが分類した政治的無関心の類型のうち、脱政治的態度とは、かつて政治に関与したものの、自己の期待を充足できず、政治に幻滅を感じ、政治に関心を示さなくなる態度である。

（地方上級）　**正解　5**

国際関係

①科目の性質上、ホットな時事ネタと関連した内容が出題される傾向にあります。したがって、**時事の国際問題**に関する知識は、充実させておく必要があります。

②最近では、国家の枠を超えて考えなければならない課題についての関心度が問われます。台湾と中国の問題や、ロシアによるウクライナ侵攻など、最新のニュースに注意しましょう。

③思いがけない問題が出題されることもあります。これまでも、ノーベル平和賞の歴代受賞者や、古代や中世の国際関係上の人物や出来事について問われました。現代の国際政治や国際経済だけではなく、文化交流や国際関係史など、より広い視野で関心を持つよう心がけましょう。

△この科目については、過去問題を解いて理解を深めるよりも、何が問われたのかという傾向を押さえた上で、日頃からニュース・報道等に意識的に接することが重要です。

問題　国際関係の歴史と概念に関する次の記述のうち、妥当なのはどれか。

1　主権国家（sovereign states）という概念は、11 世紀頃から国際社会に存在していた。例えば、中世ヨーロッパには大小あわせて約 350 の領邦がひしめきあっていたが、それらを統治する領主には、ローマ教皇やローマ皇帝の権威は及ばなかった。つまり、領邦国家は主権をお互いに認め合い、自立した存在として国際活動を展開していた。

2　同盟（alliance）とは、何らかの仮想敵国に対して国家の間で軍事行動における協調行動に合意した状態を指す概念であり、日米同盟や北大西洋条約機構（NATO）などのように国際社会に平和や安定をもたらすために形成されるものである。実際、国際政治の歴史上、同盟の形成が戦争やその拡大をもたらしたような事例は存在しない。

3　封じ込め（containment）という概念は、1930年代にドイツでナチズムのイデオロギーをもとにした拡張主義的な政策が展開されている状況下で、米国が英国などと共に、対独政策の戦略概念として採用された。しかし、その概念は軍事的なものよりは政治的なものであったので、結局、ナチス・ドイツの対外進出を阻止することはできずに第2次世界大戦の勃発を防ぐことはできなかった。

4　デタント（détente）は、緊張緩和を意味するフランス語で、冷戦の対立を緩和する政策概念として使われた。例えば、1960年代にフランスのドゴール大統領は、NATOの軍事機構脱退やソ連東欧圏への接近を「デタント」として正当化した。このような政策への反発から、1970年代に米国のニクソン政権は、核軍拡を推し進め、強硬な対ソ政策を展開した。

5　人道的介入（humanitarian intervention）とは、主権国家内部で生じた大量虐殺や大規模な飢餓、難民・国内避難民の大量流出などの深刻な人道的危機に対して、人道救援目的で展開される国際社会の活動を指す概念である。人道的介入は、内政不干渉原則や武力不行使原則などと抵触すると批判される場合もあるが、20世紀末にはソマリア、ボスニア、コソボなどにおいて実施されている。

（国家一般職）　　**正解　5**

社会政策

①社会政策は地方上級試験で出題される科目です。比較的なじみのあるテーマから出題されるので難度は高くありません。ニュースで聞いたり新聞で読んだりする程度の情報で足ります。

◉時事問題に関する知識は面接試験でも大いに役立つので、ここでしっかり学習しておくとよいでしょう。

②過去に多かった出題分野は、少子・高齢社会、社会保障制度、日本の労働事情、男女共同参画社会、環境問題、地方分権です。それぞれの問題の概要は押さえておきましょう。

③現在の日本が抱える諸問題がそのまま出題内容に反映されることが多いので、この科目もまた時事問題と無関係ではいられません。たとえば、人口減少や幼児・高齢者の虐待問題、女性の雇用環境の問題などについては、要点を押さえておくことが必要でしょう。また、**高齢者介護**、**障害者福祉**、**子育て支援**なども重要です。

⊙この科目の内容は、出題される分野の概要がわかっていると十分に対応できます。少しの勉強で得点源にできる科目です。

問題　わが国の社会保障制度を、社会保険、公的扶助、社会福祉、公衆衛生の４部門に分類したとき、Ａ～Ｄの記述に該当する社会保障制度の部門を組み合わせたものとして妥当なものはどれか。

A　生活上のさまざまな危険に対して相互扶助を行う制度で、給付対象としては疾病・労働災害・失業・老齢などがある。
B　生活環境の整備などによって、国民の健康の保持・増進を図ろうとするもので、担当する機関として保健所が各地に置かれている。
C　生活保護制度が中心であり、生活困窮者に対して、生活・教育・住宅・医療・出産などに関する援助を公費負担で行うこととしている。
D　老人・身体障害者・母子家庭などが安定した生活を営めるよう、老人ホーム・保育所などの施設を通じて、公的サービスを提供する。

	A	B	C	D
1	社会保険	公的扶助	社会福祉	公衆衛生
2	公的扶助	社会福祉	社会保険	公衆衛生
3	公的扶助	公衆衛生	社会福祉	社会保険
4	社会保険	公衆衛生	公的扶助	社会福祉
5	公衆衛生	社会福祉	社会保険	公的扶助

（地方上級レベル）　正解　4

10 専門試験対策—その2
憲法・民法・行政法・労働法・刑法はこうしてものにする

⊙：学習が楽になる情報　△：注意が必要な情報

憲法

①憲法は法律系科目の基盤となる極めて重要な科目であり、政治学・行政学などの行政系科目とも関連するため、本腰をすえて対処したほうがよい科目です。

②憲法は大きく**基本的人権**と**統治機構**に二分され、それぞれの分野からほぼ均等に出題されています。前者では、**表現の自由**を問う出題が多く、後者では、**国会**と**司法権**が頻出です。

③判例に関しては、重要判例の知識や、判例を論理考察する問題、あるいは学説の対立についての問題など、出題パターンは多様です。条文をしっかりと理解して、適応力をつけておきたいところです。

△成功への近道は、憲法の全文を覚えることです。憲法はすべての法律の基本となるものですから覚えておいて損はありません。もちろん丸暗記でなくてもかまいません。概略と意味を押さえることが目的です。

⊙憲法は、条文が103条しかないので、専門科目の中では比較的短期間で修得しやすく、高得点も期待できる科目です。

問題　日本国憲法に規定する財政に関する記述として、妥当なのはどれか。

1　予備費を設ける場合の国会の議決は、歳出予算の他の費目についての国会の議決とはその性質を異にし、一定の金額を予備費として計上することの承認であって、具体的な支出を承認する意味をもつものではない。

2　会計検査院は、国の収入支出の決算について、このすべてを毎年検査し、次の年度に、その検査報告とともに、国会に提出しなければならない。

3　予算は、一会計年度内の国家の具体的な財政行為のみを規律し、法律のように一般国民の行為を一般的に規律しないことから、予算の法規範性を否定する見解が通説となっている。

4　内閣は、会計年度が開始するときまでに当該年度の予算が成立しない場合には、暫定予算として前年度の予算を施行することができる。

5　憲法は、国費を支出するには、国会の議決に基づくことを必要とすると定めているが、公共の安全を保持するため緊急の需要がある場合に限り、内閣は、国会の議決を経ることなく、補正予算を定め必要な支出をすることができる。

（地方上級）　**正解　1**

民法

①民法は、大まかに総則、物権法、債権法、相続法に分かれています。条文数も膨大で学習範囲が広いので、経済原論と同様に、初学者には辛い最難関科目といえます。しかし、結婚、離婚、相続、不動産の賃貸借といった我々の日常生活になじみの深い事柄を細かく規定しているのが民法です。そういう観点からこの科目に興味を持つことができれば、修得への近道になるでしょう。

②学習法としては、**基本書、判例付きの六法、過去問題**を繰り返し順番に用いながら、日々少しずつ継続して学習するしかありません。短時間で多くの成果を得られる科目ではありませんので、じっくり取り組むという覚悟が試される科目です。

⊙民法は、条文の内容を理解していれば解ける問題がほとんどです。過去問題の論点を短時間で押さえることも可能です。

⊙練習問題として、宅地建物取引士（宅建士）試験の過去問題で、技を磨くのも一つの手です。

△2020（令和2）年4月より、改正民法（債権法）が施行されました。また、2023（令和5）年4月からは、改正民法（物権法）が施行されました。問題は、改正後の条文をもとに出されますので、改正民法に対応した書籍などを使って、学習するようにしましょう。

問題　次の民法に規定する物権Ａ～Ｅのうち、用益物権を選んだ組合せとして、妥当なのはどれか。

A　留置権
B　永小作権
C　先取特権
D　入会権

E　地役権

1　A　B　D
2　A　C　D
3　A　C　E
4　B　C　E
5　B　D　E

(地方上級)　　**正解　5**

行政法

①行政法では、**行政作用、行政事件訴訟、行政救済手続**が出題の中心です。

②行政作用では、行政手続と行政指導が頻出項目で、行政事件訴訟では行政事件訴訟一般が頻出項目です。

③出題内容は、有名な論点を問う問題が多数を占めているので、その論点対策を準備していれば、逆に得点源とすることができる科目です。

④ 2014（平成 26）年に**行政手続法や行政不服審査法が大きく改正**されたこともあり、今後しばらくはこの分野からの出題が予想されます。また、過去に出題されたテーマで**改正に関係するところは要注意**です。

△この科目は「思考力」ではなく、「暗記力」が問われます。用語の意味と条文の内容を覚えて使えるようにしておき、短い時間で眼前の問題を、いかに効率的に処理するかが重要です。

問題　行政法学上の法規命令に関する記述として、通説に照らして、妥当なのはどれか。

1　法規命令は、公布されること及び施行期日が到来することによってその効力を生じ、規則の形式をとることもある。

2　法規命令は、一旦、有効に成立した以上、根拠法とは独立の存在を有するので、根拠法が廃止されても、失効することは一切ない。

3　法規命令のうち執行命令は、法律の特別の委任に基づき、新たに国民の権利や義務を創設する命令である。

4　執行命令を制定するためには、法律の一般的な授権だけでは足りず、法律の個別的・具体的な授権が必要である。

5　法規命令のうち委任命令は、法律の執行を目的とし、法律において定められている国民の権利義務の具体的細目や手続を規定する命令である。

（地方上級）　**正解　1**

労働法

①労働法では、労働法関係の基本となる**労働基準法**と**労働組合法**が重要です。特に労働基準法は労働関係の法令の基本となることから、出題頻度も高くなっています。近年では、不法就労者が増加していることが社会問題となっており、それに関連する問題も出題が予想されます。

②労働基準法は改正が多い法律です。社会の変化とともに多様化している働き方に対応する必要があるからです。改正点は出題される可能性が高いので、法律の改正の背景となっている社会の動きも同時に考えながら押さえておきましょう。

③派遣労働者が増えている実態を踏まえて、労働契約の終了や賃金と労働時間に関しても注目が集まっています。新しい法律である労

△この科目は「思考力」ではなく、「暗記力」が問われます。基本となる規定だけでなく例外規定などにも注意しましょう。

働契約法や労働者派遣法の基本的な内容も学習しておきましょう。

問題　労働基準法に規定する労働契約に関する記述として、判例、通説に照らして、妥当なのはどれか。

1　使用者は、労働契約に附随して貯蓄の契約をさせ、又は貯蓄金を管理する契約をしてはならないので、労働者の貯蓄金をその委託を受けて任意に管理することは禁止されている。
2　使用者は、労働契約の不履行について違約金を定め、又は損害賠償額を予定する契約をしてはならず、労働者の債務不履行により現実に生じた損害について損害賠償を請求することはできない。
3　使用者は、労働契約の締結に際し、労働者に賃金、労働時間その他の労働条件を明示しなければならないが、労働条件のうち賃金又は労働時間が事実と相違する場合に限り、労働者は即時に労働契約を解除することができる。
4　最高裁判所の判例では、公務員としての採用内定の通知は、単に採用発令の手続きを支障なく行うための準備手続きとしてされる事実上の行為ではなく、職員としての地位を取得させることを目的とする確定的な意思表示ないしは始期付又は条件付採用行為であるとした。
5　最高裁判所の判例では、いったん特定企業との間に一定の試用期間を付した雇用関係に入った者に対する留保解約権の行使は、解約権留保の趣旨、目的に照らして、客観的に合理的な理由が存し、社会通念上相当と是認されうる場合にのみ許されるとした。

(地方上級)　　正解　5

刑法

①刑法の問題で問われるテーマは、**構成要件**、**違法性**、**責任**ということになります。学習にあたっては常にこれを念頭においておきましょう。

△条文の意味や内容、考え方などにまで踏み込んだ出題があるので学習には時間がかかります。その点を踏まえて早くから学習を始めましょう。

②刑法では、現在でも学説が鋭く対立しているものがあります。そういう論点についての学習が重要です。

③出題頻度でみると総論に力点をおいて学習することが必要です。中でも**構成要件**、**違法性の問題**、**共犯**、**正当防衛**、**公務執行妨害**といった部分が重要です。それぞれの論点についても、**代表的な事例と結論**は押さえておきましょう。その際、その結論に至る考え方を理解しておくことで、理解が深まります。

④有名な判例は**どのような事例**で、**どのような結論**となるのかを必ず理解しておきましょう。出題はそういった判例に関するものが多いようです。

⊙思い切って判例を中心に学習して時間を節約するという手もあります。論点を絞って学習するほうが効果的でしょう。

問題 不能犯に関する記述のうち判例に照らし正しくないものは、次のうちどれか。

1　A女は、内縁の夫Bある身であったが、Cと密通し、Bを殺すことを共謀、2回にわたり、硫黄粉末をみそ汁に混入させ、これをBに飲ませて同人を殺害しようとしたが、腹痛を起こさせえたに止まった場合、A女は、殺人については不能犯である。

2　甲は、覚せい剤の製造を企てたが、失敗に終わった。それは、主原料が真正の原料ではなかったためであれば、不能犯であるが、触媒として使用した薬品の分量が必要量の2分の1ないし3分の1程度であったためであれば、未遂犯である。

3　Aは、妻B女を生命保険に入れ、自分を受取人とし、B女を殺害するため、同人の静脈内に合計30～40ccの空気を注射したが、B女は死ななかったという場合、Aは、殺人未遂にならない。

4　Aは、室内に都市ガスを充満させて、無理心中の形で、わが娘BとCを殺害しようとしたが、訪問してきた友人に発見され、目的を遂げられなかったという場合、Aは、殺人については不能犯ではなく、未遂犯である。

（地方上級レベル）　　**正解　3**

11 専門試験対策—その3 ミクロ経済学・マクロ経済学はこうしてものにする

⊙：学習が楽になる情報　△：注意が必要な情報

ミクロ経済学

①最も重要なのは**不完全競争市場**であり、国家一般職では今後もこの分野からの出題が続くと予想されます。

②出題されるのは、**独占**、**寡占**、**クールノー均衡**といった古典的な分野の、しかも典型的なものなので、過去問題を中心に地道に基本的な学習を続けることで十分に対処できます。

③地方上級では出題されるテーマは広がりますが、難度は概して高くないので、やはり基本的な学習で対応が可能です。

⊙国家公務員試験では、問題による難易度格差が大きいようです。難しい問題は捨てて、基本から標準の難易度の問題を確実に得点できるようにするほうが試験対策としておすすめです。

問題　ある個人は働いて得た賃金の全てを Y 財の購入に支出するものとする。この個人の効用関数が、

$$u = x^3y^2$$

［u：効用水準、x：1年間（365日）における余暇（働かない日）の日数、y：Y 財の消費量］

で示され、Y 財の価格が2、労働1日当たりの賃金率が4であるとき、この個人の1年間（365日）の労働日数はいくらか。

ただし、この個人は効用を最大にするように行動するものとする。

1　73
2　92
3　146
4　219
5　292

（国家専門職）　**正解　3**

マクロ経済学

①国家一般職においては、**国民所得の諸概念**と**財市場**といったマクロ分野での基本事項に関する出題が予想されます。どれも典型的なものばかりで、難度はそれほど高くはないので、過去問題の学習を繰り返すことで十分対処できます。

②地方上級では、実際には地方自治体の管轄事項でないにもかかわらず、**国民所得の諸概念、貨幣供給、均衡国民所得の決定**といった国家レベルの経済政策に関する問題がよく出題されます。

③この科目では、与えられた条件を正確にグラフ化して考える能力が求められます。有名なマクロモデルはすぐに頭に描けるように暗記しておきましょう。

⊙ミクロ経済学と同様、国家公務員試験では、問題による難易度格差が大きいようです。難しい問題は捨てて、基本から標準の難易度の問題を確実に得点できるようにするほうがよいでしょう。

問題　マクロ経済が次のモデルで与えられているとする。

$$Y = C + I + G + EX - IM$$
$$C = 120 + 0.7\,(Y - T)$$
$$T = 0.25Y$$
$$IM = 10 + 0.2\,(Y - T)$$

ここで、Yは国民所得、Cは消費、Iは投資（一定）、Gは政府支出、EXは輸出（一定）、IMは輸入、Tは税収を表す。このとき、政府支出乗数はいくらか。

1　1.2
2　1.6
3　2.1
4　3.0
5　3.3

（国家一般職）

正解　2

12 専門試験対策―その4 記述式はこうしてものにする

⊙：学習が楽になる情報　△：注意が必要な情報

記述式

①専門試験の記述試験で最も求められるのは、**正確な知識**です。文章を書くにあたっては表現力が必要であることは確かですが、美辞麗句を書き連ねたところで公務員試験では評価されません。それよりも書かれている内容が**正しい知識や情報**に基づいているかどうかが重要です。

②十分な知識量に加え、文章の構成が**明確**で**論理的**かどうかも評価されます。つまり、単に知識を並べるのではなく、文章から何を言おうとしているのかが伝わるような組み立てが必要です。

③各自治体によって、傾向や頻出分野にかなりばらつきがあります。受験する自治体の出題傾向に応じて必要な知識を身につけましょう。

④「知っている」ことと、「それを伝える」ことは全く別物です。自分が**「知っている」ことを文章として書く**ことができるように、実際になるべくたくさん書いてトレーニングを積みましょう。

⑤地方上級・中級の試験では、**穴埋め式**の問題も出題されます。読んで理解するだけでなく、**正しい漢字**を使って記入できるようにしておきましょう。

△十分な理解力があるのかどうかはマークシート方式だけでは判断できないので、それを補うために記述式試験があることを考えれば自ずと対策は見えてくるでしょう。

△公務員試験の模試を受けるなどして、客観的な評価を得るようにしましょう。

⊙記述内容の正確さは重要です。少しでも不安な知識は使わずに書くほうが賢明です。

△パソコンを使い慣れているとつい漢字が思い出せないことがあります。記述式対策には、書いて覚える練習も必要です。

問題

〔憲法〕
国政調査権の意義、性質、範囲と限界について説明せよ。

〔行政法〕
行政行為の附款について説明せよ。

〔財政学〕
マスグレイブの財政の３機能について、具体例を挙げながら説明せよ。

〔政治学〕
ダールのポリアーキー論について説明せよ。

〔社会学〕
スペンサーの社会進化論について説明せよ。

〔会計学〕
利益剰余金の意義及び種類について、それぞれ説明せよ。

〔経済原論〕
次の文章の空欄ａ～ｊに入る適切な語句を記入しなさい。（解答例：k-国民経済計算）

GDPとは、[a]の略であり、ある経済的領土（国）内で一定期間に生み出された[b]の合計である。これは、フロー、ストックの概念のうち、[c]にあたる。GDPの支出項目には、例えば、[d]や[e]がある。三面等価の原則によれば、GDPの支出項目は、[f]項目とも、[g]項目とも等しい。また、この原則を使うと、家計、企業及び政府による貯蓄投資差額（貯蓄から投資を引いたもの）は、[h]に等しいことがわかる。GDPに、海外からの要素所得の受取を足し、海外への支払を差し引いたものは、[i]とよばれる。名目GDPを実質GDPで割ったものは、[j]とよばれる。

正解
a：国内総生産　b：付加価値　c：フロー　d：生産
e：分配　f：生産　g：分配　h：経常収支
i：国民総所得　j：インフレ率

（いずれも地方上級）

13 論作文試験対策

⊙：学習が楽になる情報　△：注意が必要な情報

論文・作文

①字数は、**1,000 ～ 1,200 字程度**を想定して対策を立てましょう。また、試験時間は60 ～ 90分くらいとしている試験が多いようです。そのくらいを目安に練習してください。練習する場合には、全体の構成を考える時間、実際に書く時間、読み返す時間、書きなおす時間という4つの段階にそれぞれどのくらいの時間をあてるかも考えながら取り組みましょう。

②最近は、人物重視の傾向が強くなっており、東京都や特別区のように論作文への配点比率が高い地方自治体も増えています。論文対策にもある程度時間をかけてください。

③公務員試験の論文では高度な発想力や表現力は必要ありません。論文の**構成**と**論旨**がはっきりしていることが必要です。自分の言葉で自分の考えを伝える力を問われるのです。

④出題されるテーマはある程度決まっており、20テーマくらいでしょう。それぞれのテーマに関する主だった用語を論文を書く材料として理解しておきましょう。

⑤よい論文かどうかの評価は次のようなポイントで判断されています。

・記述内容が事実として正しいか。

△優れた論文が書けると、他の受験生に差をつけることが可能ですので、配点や出題の少ない科目に時間を費やすよりも効果的であるともいえます。

△接続詞が適切に使われているかといった基本的なルールについては、できて当たり前ですので、十分に注意が必要です。

⊙記述内容の正確さは重要です。少しでも不安な知識は使わずに書くほうが賢明です。

⊙自分が練習に書いた論文を数日後に読むことも効果的です。

⊙地方自治体によってよく出るテーマがあるので、自分が志望する地方自治体の過去のテーマを調べて的を絞りましょう。

- 意見・主張が明確で、かつ論理的であるか。
- 字数が適切か。制限字数の9割が目安です。8割以下だと減点の対象になる可能性もあります。
- 誤字脱字がないか。
- 論文としての体裁が起承転結、あるいは序論・本論・結論という構成になっているか。

■論文の構成の2つのパターン■

起：問題提起	序論：背景、問題提起
承：論文の本旨	本論：具体的展開
転：論文の展開	結論：自分の見解
結：まとめ	

問題

地方上級

近年、危機管理や防災対策の充実についてますます行政需要が高まっているが、全てに対策を講じるには予算や時間の制約もあり、すぐに対応できない場合もある。

危機管理や防災対策の実施と予算のバランスについてどうあるべきか、具体的な危機や災害の例を挙げながら、あなたの考えを述べなさい。

地方上級

日本の社会基盤（道路、港湾、空港、その他公共施設）の現状について述べた上で、今後の整備のあり方について、あなたの考えを述べなさい。

地方中級

児童・生徒が、学校生活を楽しく充実して過ごすためには、どのようなことが必要か。

また、そのために、あなたが自分の知識や経験、能力などを活かしてできることはどのようなことか。

地方初級

あなたのこれまでの経験から、「人と関わる上で大切なこと」について、あなたの考えを述べてください。

14 人物試験対策

⊙：学習が楽になる情報　△：注意が必要な情報

人物試験

①公務員は、社会全体のために働く職業です。その公務員を志望しているわけですから、**服装**はだれにでも**好感**を与えられるようにあまり個性的なものは避けましょう。ピアス、派手な化粧、染髪は慎みましょう。また、ワイシャツやブラウスの色も華美にならないようにします。

②自分が公務員として働くことになった場合を想定して、どのようにすれば市民によい印象を持ってもらえるかを考えてふるまいましょう。基本的には、**明るくハキハキとした態度**が好まれます。また、視線を落とすと暗い印象になりますので、しっかりと前を向き、**姿勢**をよくしましょう。特に、面接官への第一印象は大切なので、入室時はきびきびとした態度で、挨拶は丁寧にしましょう。

③面接形式は、**個別式、集団式、集団討論**があります。自分の志望する試験の形式を調べて、形式に応じた対策をしましょう。

個別式の場合は、面接官からの質問に対して**一問一答**で対応します。面接官は３人程度で、**各人から質問**されます。質問は、**志望動機・自分の長所や短所・自分の経験してきたこと**などのように自分自身に関するものと、

⊙面接は多くの場合、２次試験で行われます。学科試験のように理解したり、暗記したりする時間はかかりませんので、１次試験の合格発表の後から準備しても間に合います。

⊙態度については、民間企業の面接と特に違いはありません。難しく考える必要はないでしょう。

△面接官が知りたいポイントは、受験者の志望動機、協調性、積極性などです。それらが確実に伝わるように話しましょう。

△面接官の質問がよく聞こえなかったり、趣旨がよくわからなかった場合は、その旨を伝えて、もう一度聞き直してもかまいません。よくわからないままに答えてしまって、的確な回答になっていなかった場合は、かえって印象が悪くなってしまいます。

温暖化や**高齢化**などのテーマに関して自分の考えを表明するものがあります。

④自分自身のことについて答える場合は、相手にわかりやすいように伝えることが必要です。難しい表現で飾るよりは、**明確に短く**答えたほうがよいでしょう。自分の答えた内容について、さらに質問されることもあります。たとえば、「学生時代に○○部に入っていた」と答えたら「どのような役割をしていたか」「どんな苦労があったか」などと追加して尋ねられるという具合です。その点についても準備しておきましょう。

⊙質問されるテーマは論作文のテーマとも共通しているので同時に対策してよいでしょう。

△自分自身のことについては、何を伝えたいのか、事前にまとめておいたほうがよいでしょう。自分のこととなると案外何を言えばよいのか迷うものです。

■面接内容と回答例■

質問事項	回答例
公務員を選んだ理由は何ですか。	• ○○省に入って、こういう仕事がしたいです。 • 生まれ育った町の発展に寄与したいです。
学生時代に何かのサークルに入っていましたか。	• ○○部でキャプテン（会計係）をしていました。 • サークルには入っていませんでしたが、地元の○○クラブに入っていました（趣味で○○を続けました）。
サークル活動で（趣味でやっていたことを続けるために）大変だったこと、苦しかったことは何ですか。	• 勉強と両立させることです。 • 仲間との意見の対立などがあっても、どちらかに決めなくてはいけなかったことです。
アルバイトの経験はありますか。アルバイトで学んだことはありますか。	• ○○をやっていました。仲間と協力し合うことの重要性を学びました。 • ○○を経験しました。上司から与えられた仕事を自分なりにやり遂げたときに達成感を感じました。 • ○○をしたことで、お金を稼ぐことの大変さがわかりました。

※回答例は典型的なものなので、そのまま回答するのではなく、自分なりのセールスポイントを加味した回答を事前に用意しておきましょう。

⑤テーマについての意見を尋ねられた場合、面接官は、何か、素晴らしい意見が聞きたいわけではありません。自分の考えをまとめて**相手に伝わるように説明できるか**に注目しています。あまり偏った意見は好ましくありません。ありふれた考え方であっても、それを自分の言葉で**簡潔**に伝えられれば十分です。

⑥集団式、集団討論の場合は、いっしょに面接を受けている人の中で自分をよりよく印象づけたいものですが、目立てばよいというわけではありません。自分が意見を述べるときには、**他の人の意見を踏まえた内容**にし、面接官に対して、自分が人の意見をよく聞いて理解できているということが伝わるようにしたいものです。

公務員をめざす人の本

Part 5

公務員試験受験のための情報収集といろいろ活用術

1 公務員試験の情報を収集する

はじめに試験情報を入手する

公務員試験を受験するには、まず受験しようと考える試験の概要について、事前に詳細な情報を得る必要があります。**受験資格、試験科目とその内容、試験日時**などについてきちんと把握するようにしましょう。また試験内容を参考にして、自分が受験する試験を選択する場合も考えられます。いずれにしても試験の概要については、あやふやなものではなく**正確な情報**を入手するように心がけてください。

パンフレット・リーフレットを活用する

公務員試験の概要の発表は、国家公務員の場合、例年、早いものでも年初めとなっています。また地方公務員の場合は、それから少し遅れる形で発表されるのが通例となっています。しかし、**試験対策には1年以上をかけたい**ので、受験する年の試験概要が発表されるのを待っているのでは、十分な学習計画を立てることができません。そこで、役立つのが人事院や各省庁、地方自治体の人事委員会などが出しているパンフレットやリーフレットです。カラーで見やすい構成になっていますので、試験概要を理解するにはうってつけです。Q&Aなどは、自分の知りたいことがピンポイントでわかります。

■情報収集の効用

一般的に、就職活動においては、多くの情報を得ることがとても重要です。そのためには自ら情報収集に取り組まなければなりませんが、そこから自然と行動力が養われ、自分の将来を具体的に思い描くきっかけにもなります。

学習計画
→ p.54

■人事委員会

都道府県および政令指定都市等に設置される行政委員会です。人事院と同じく人事行政に関する業務を執り行う中で、地方公共団体の職員の採用に関する試験を実施しています。

インターネットを活用する

最近はインターネットから入手できる情報も増えてきました。国家公務員に関しては、一部を除き、人事院や各省庁のホームページで**試験概要が入手**できます。**パンフレットやリーフレットもダウンロード**できます。地方公務員試験の場合は、各地方自治体のホームページで、必ず試験概要について紹介されていますので、そこから詳細な情報を入手できます。

予備校を活用する

各公務員試験の受験対策講座を開設している予備校では、公務員の受験資格や業務内容、試験科目、学習方法、受験日などを試験実施機関に照会するなどして、常に精度の高い情報を集めています。実際に予備校に出向いて、こういった情報に触れることも有効です。

人事院や人事委員会に直接問い合わせる

最新の情報を確実に得るために、公務員採用試験を実施している人事院や人事委員会に、直接問い合わせるといったやり方も考えられます。

公務員の職種によっては、欠員等の関係で、必ずしも毎年試験が実施されるとは限らないものがあります。特に地方自治体の**免許資格職試験**は、なかなか情報を得られないことが多いものです。その場合は、直接問い合わせることが最も確実な情報入手方法です。実施機関のほうも、問い合わせに関しては丁寧に答えてくれますので、**直接確認**しましょう。

■人事院発行のメルマガ
人事院が配信しているメールマガジン「国家公務員試験採用情報NEWS」に登録すると、人事院が実施する国家公務員採用試験の試験日程、申込者数、試験情報、講演情報などを自動的に入手することができます。

■地方公務員の情報サイト
地方公務員については、地方公共団体情報システム機構が「地方公務員採用試験案内」サイトを運営しています。志望する自治体がはっきりしている場合は、当該自治体の情報をこまめにチェックするとよいでしょう。

予備校の活用法
→ p.198

2 予備校の上手な活用方法

■予備校＋αが理想的
予備校は頼りになる存在ですが、自宅での学習も同時にすすめ、わからない点は予備校に行って確認するなど、主体的に勉強する姿勢が大切です。

予備校が持つ利点

公務員試験は出題範囲が非常に広く、何から学習してよいかわからず不安になる人も多いでしょう。また、試験の実施要項などは、その**年度ごとに策定**されるため、**変更される**場合を考えると、常に新しい情報に敏感である必要があります。そこで頼りになるのが、**情報量の多さ**や、過去の出題傾向についての**分析能力の高さ**を誇る予備校の存在です。試験に合格するために必要なカリキュラムを、的確に作成している学校もあります。独学では心配な人や、学習計画を立てることに苦労している人には、**学習の方向性**を示してくれる心強い存在となります。

自分に適した予備校、講座を探す

一口に予備校といっても、公務員試験の講座を用意している予備校は数多くあります。そのため、予備校で学ぶにはまず、自分の**学習スタート時のレベル**に合わせた学校を探すことが重要です。その際には、授業自体のレベルや、どういった受講生を想定して授業を構成しているかといった点に着目します。

たとえば、公務員試験の勉強に取り組むのが初めてで、なおかつ受験科目についてもほとんど知識がない場合は、最初から高いレベルの授業を受講すると内容がわからず、授業自体についていけなくなってしまいます。その場合は、カリキュラムの中に**基礎講座**が充実している予備校を選択するとよいでしょう。

また反対に、ある程度の学習がすすんでいる人は、レベルが高めの講座を選ぶのが一般的です。ただし、これまで独学で勉強してきた結果、実力の伸びがいまひとつだと思える場合は、思い切って基礎講座を受講してみるのもおすすめです。そうすると、自分で思い違いをしていた箇所が明確になる場合があり、一気に理解が深まることが期待できます。

一方、科目によって成績にばらつきがある人は、**単科の講座**を受講するとよいでしょう。公務員試験は受験科目が多いため、初めて勉強に取りかかる人以外は、科目間の成績に差が生じがちです。**不得意な分野に力を入れて学習**することで、公務員試験をより有利な形で受験することができます。

そのほか、受験科目をすでに勉強し終わった、という人には、予備校で実施されている**模擬試験**を受けることをおすすめします。得意分野の成績が思ったよりも悪かったり、逆に不得意のはずの分野で点数をとれていたり、といったことはよくあることです。模擬試験で**自分の実力の程度をチェック**し、理解があいまいな部分を解消しておくことが大切です。また、一般的に模擬試験では、過去問題の内容からだけではなく、**現代社会が抱える諸問題**を反映した問題も出題されます。公務員に求められる**見識を養う**ためにも、模擬試験を大いに活用するとよいでしょう。

知っとく

●予備校の奨学生制度

独学に較べると、高い費用がかかってしまう予備校ですが、奨学生制度を取り入れている学校もあります。予備校を探す際には、そういった点も視野に入れてみましょう。

過去問題
→ p.202

筆記試験以外の試験対策講座も充実

公務員試験は、筆記試験に合格すれば、即採用となるわけではありません。面接試験や身体検査などといった試験区分での評価も、採用にあたっての重要な判断材料とされます。近年は、公務員試験において、この**面接試験の結果をより重視**する傾向にあり、十分な対策が必要です。さらに国家公務員試験となると、**官庁訪問のタイミング**や、その際に実施される**採用面接に関する対策**も講じていかなければなりません。

このような点に関して、公務員試験対策講座を置く予備校では、情報を活用しながら適切な講座を用意して、その対策にあたっています。

たとえば

予備校の面接試験対策

公務員試験を受験した生徒からの情報を集めて、面接時の質問内容と回答内容、面接の雰囲気、面接時間、集団討論の情報など、他では入手しにくい情報をまとめ、面接試験対策の講座を提供している予備校もあります。

ともに学ぶ仲間ができる

試験範囲が広く、難度も高い公務員試験を受験するには、十分な準備が必要です。また、毎日相当量の学習をこなさなければならず、最後は自分自身との戦いといっても過言ではありません。しかし、毎日の学習を反復・継続していくには、忍耐力や根気が必要です。また独学の場合には、自分の**学習方法や学習計画が適切なものであるか、周囲の受験者のレベルはどのくらいか**、といった不安も覚えるでしょう。

こういった悩みを解消するには、やはり予備校などで、ともに勉強に励む**仲間を得る**ことが最良の道といえます。試験や学習上の疑問点について、お互いに**情報交換**をしながら学習をすすめることは、学習自体の効率を高めるだけでなく、学習を継続する上での支えとなります。

■記憶は話すことで定着する

効率的な学習において有効な手段の一つは「話す」ことであるといわれています。そのため、試験勉強をしている際に、ある分野について勉強仲間と互いに質疑応答をすることは、その分野に関する思考や理解力を深め、記憶を定着させるという意味で非常に効果的です。

受験相談にのってもらえる

長期間受験勉強を続けている間には、受験生同士では解決できないようなことも出てきます。それをそのままにしておくと、わからないことが重なってしまい、勉強が遅れてしまうことになりかねません。そのようなときは、率直に**予備校に悩みを相談**してみるとよいでしょう。悩みが解消されると、**学習内容のさらなる充実**が期待でき、勉強に弾みがつきます。

一方、公務員試験の情報については、公開されていない部分が多々あります。そういった点に関しては、予備校において数多くの**合格者データ**が長年にわたって蓄積されていますので、参考にすると、**有意義な結果**を得られる可能性があります。

予備校のかけもちで効果アップ

公務員試験対策講座を設けた予備校は多数あるため、自分の基準に照らし合わせながらどの予備校に通うか決めようとしても、なかなか難しい場合があるでしょう。そのため、最近の受験生の中には、複数の予備校をうまくかけもちして勉強し、よい結果を出している人もいるようです。**一つの予備校に絞る**のか、**複数をかけもちする**かは、その形態が自分に合っているかどうかを含めて判断に悩む場合もあるでしょうが、幹となる**基本の予備校**を決めておき、そこに**補充する形で他の予備校の単科の講座を利用する**のがおすすめです。

3 独学で合格するためのコツ

要点整理集を役立てる

出題範囲が広く、内容も難度が高い公務員試験は、きちんとした学習計画を立てることが必須なため、予備校では、過去の出題例などから、的確な学習計画を提示してくれます。しかし独学となると、自分で学習計画を立て、それに沿って、規則的、継続的に勉強する必要があります。しかし、すべてを網羅して勉強すると意気込んで、分厚い基本書などを使って学習をすすめても、思ったように勉強がはかどらず、予想以上に苦労する場合があります。また、**試験の出題傾向を把握**するといった観点からも、あまり得策とはいえません。そこで役に立つのが「**要点整理集**」です。要点整理集であれば、過去の出題傾向から、重要と思われる必要事項や用語を重点的に学習することができるため、**「何」を「どのくらい」学習すればよいか把握する**のに非常に適しています。まずは**要点整理集で過去の出題傾向を探り**、そこで出た**疑問点などを基本書で解消**していくのが望ましいでしょう。

過去問題を解く

先に述べた「要点整理集」とともに、必ず取り組むべきなのが、自分が受験しようとしている試験区分の**過去問題を解く**ことです。要点整理

■反復が大切

公務員試験合格者の勉強方法には、同じ参考書を何度も解いた、面接試験の練習を何度も行ったという共通点があります。反復作業を繰り返し、自信をつけることが大切です。

■短期学習に役立てる

要点整理集としては、短期学習のために学習ポイントを絞ったものも刊行されています。必要に応じて選んで用意しましょう。

集で過去の出題傾向を把握するのに加えて、その**問題の解き方を学ぶ**上で非常に役立ちます。

また過去問題を解いていくうちに、**苦手な問題**や**自分の弱点**が明確になっていきますが、その際には繰り返しそういった問題に取り組み、知識や解法を定着させるとよいでしょう。得意な分野を伸ばし、**自分の強みをつくる**ことも大切ですが、苦手な分野に何度も取り組み、自信をつけることができれば、いざという時に安心です。

模擬試験を受験する

独学の場合、勉強がある程度のところまですすんでも、いったい自分にどの程度の力がついているのか、合格する可能性があるのかがわかりにくいものです。それをはっきりさせて、その後の勉強の方向を見定めるためには、予備校が実施している模擬試験が役に立ちます。**通常の講義を受けていなくても、模擬試験を受けることは可能**です。

一般的に模擬試験は、出題数や試験時間などが**実際の試験と同様の形式**で実施されるため、**解答方法**はもちろん、**時間配分**に慣れることができます。また、全国規模で実施されるものであれば、**実力の程度を客観的に判断**してもらえますし、自分の学習で不足している部分について検討できるだけでなく、力がついていることがわかれば大きな自信にもつながります。

このように、独学で学習を継続する上で障害となる**不安材料を取り除く**ためにも、模擬試験を積極的に活用するとよいでしょう。

■解答能力を養う

試験を受ける際には、「問題が解けること」が重要です。いかに知識があろうとも、問題が解けなければ試験に合格することはできません。

そのためには過去問題にあたり、これまでの出題傾向に合った解答能力を養うように心がけましょう。

■会場で模擬試験を受ける

模擬試験は毎年１～８月にかけて定期的に行われますが、会場で受験するタイプと通信で受験するタイプに分かれます。可能であれば、模擬試験を受験する際は会場受験を選択するようにしましょう。そうすることで、本試験と同様の緊張感を味わうことができます。

4 働きながら受験する

学習の効率性を高める

社会人受験枠の増加に伴って、**民間企業から公務員に転身**する可能性も広がりつつあります。しかし、社会人にとって、受験勉強の時間を確保することは難しいものです。そのため、いかに**効率よく学習**をすすめることができるかが、合格の鍵となってきます。

まずは、自分の生活の中に学習時間をうまく組み込むようにしましょう。会社や仕事場に向かう電車やバスの中でも勉強することができます。またちょっとした休憩の間にも、要点整理集などを開いて、知識を蓄えることも可能です。自分で工夫して、**学習時間を確保、捻出**するように努めましょう。細切れの学習時間しか確保できなくとも、**継続して勉強すれば知識は必ず定着**します。

次に、自分が**仕事から得た知識**をしっかりと分析しておくことが必要です。社会人に求められるのは経験に基づく知識です。試験でもその点が評価の対象となります。

予備校で学ぶという選択肢もある

仕事をしながら公務員試験を受験しようとすると、物理的に学習時間を確保することが難しい状況にあります。また試験についての情報

■自分の経験を説明する
社会人試験では、面接や論文試験が重視される傾向にあります。専門知識だけでなく、人間関係のつくり方などについての自分なりの考えを、口頭でも文章でも説明できるようにしておきましょう。

予備校
→ p.198

も、多忙な中では得にくいといった側面もあります。こういった場合には、予備校を利用するという選択肢があります。

最近の予備校では、**生講義を収録した動画**を、専用ブースで見ながら学習できるようなシステムを導入しているところがあり、仕事を終えたあとの夜間や、土日に利用することができます。また、携帯用音楽プレーヤーがあれば、いつ、どこでも講義を聞くことができる**講義音声**を用意している学校もあり、これらを上手に利用すれば、無理なく学習をすすめることができます。そのほか、受験情報を詳細に教えてもらうこともできるため、**情報源**として予備校のメリットを最大限に生かせば、学習時間を確保しづらい社会人にとっては、非常に心強い存在になるといえます。

面接試験では自分の経験をしっかり伝える

近年では、公務員採用試験においても、**人物重視**の傾向が高まってきています。特に社会人区分ではその傾向が強くなっています。

面接試験では、主に、志望動機や仕事に対する考え方が問われますが、社会人区分の場合は、自分の**仕事の経験から得たこと**や、その**経験をどう生かしたいか**ということが問われます。意見を述べる際には、自分の経験したことについて具体的に説明する必要がありますので、**手短にわかりやすく伝えられるよう**まとめておきましょう。そして、その経験が実際に公務員の仕事にどのように生かせるか、といった点についても説明できるように準備しておきましょう。

注意

勤続年数が1年に満たない時

勤続年数が１年未満の場合、経験したことを強調するのではなく、一つの経験が公務員を志望する大きなきっかけになったことを伝えられるようにしましょう。

5 併願で公務員試験を有利に突破する

最低2つ、できれば3つ以上併願する

公務員を志望する場合、第一志望の試験だけを受験するという人もいるでしょう。一生の仕事として選ぶと考えれば、第一志望だけを受験するほうが確固たる志望動機を持って臨むことができます。

しかし、公務員試験は、多くの場合、**１年に１回**しか実施されません。試験当日に、体調を崩してしまうなどの理由で、実力を存分に発揮できず不合格となる場合もあるでしょう。そうなれば、**受験できるのは翌年以降**ということになり、１年間定職を持つことができないという状況にもなり得ます。

そういったことを防ぐためには、第一志望を軸にして、少なくとも2つ、できれば3つ以上の公務員試験を**併願して合格の可能性を広げましょう。**

同じタイプの職種で併願する

公務員試験では通常、同じ職種で日程が異なる試験を併願することになりますが、**同じ職種の試験でも専門試験の出題内容が違う場合もある**ので注意が必要です。

たとえば、専門職試験の「裁判所職員一般職」と「国税専門官」は試験日程が違うので、形式上は併願可能です。しかし、前者は法律系科目

中心、後者は経済系科目中心の出題となるため、両方を受験しようとすると科目数が多くなってしまい、修得が非常に難しくなります。それに対して、地方上級試験の行政職と国家一般職試験での併願を考えた場合、出題科目の大部分が重なっているため、学習すべき科目が少なくてすみ、効率よく勉強できます。

　このように、**試験科目が共通**していることを大原則として、**受験対策の立てやすい試験を併願**するように心がけてください。

■ 専門試験で併願先を考える ■

- 文学系科目中心→法務省専門職員、裁判所職員総合職（人間科学）
- 法律系科目中心→裁判所職員総合職（法律・経済）、参議院事務局総合職（専門科目で「法律」を選択）
- 経済系科目中心→国税専門官、財務専門官、参議院事務局総合職（専門科目で「経済」を選択）
- 語学系科目中心→外務省専門職員、防衛省専門職員

大卒程度試験は７つ以上の併願も可能

　2024年度の大卒程度の事務系公務員試験をみると、3月の第3日曜日の国家公務員総合職の第1次試験を皮切りに、4月第3日曜日の東京都Ⅰ類B採用試験、5月第2日曜日の北海道職員採用試験、6月第1日曜日の国家一般職試験、そして6月第3日曜日の県上級・市町村上級試験が実施されました。これらをすべて受験すると、5つの試験を併願することが可能です。

　加えて、衆・参議院事務局総合職・一般職採用試験（大卒程度）は、主に3～5月の土曜日や祝日に実施されていますので、上記の試験

■国家公務員試験日程の変更
　国家公務員の総合職試験（教養区分除く）は、近年の受験者の減少を受けて、第1次試験の日程を、2024（令和6）年度は、3月中旬に前倒ししました。

に合わせて、これらの試験も受験することができます。さらに地方中級試験は、9月に行われることが多いため、これも含めると、**7つ以上の試験の併願が可能**となります。

なお、国家総合職・一般職試験などは、それぞれ複数の区分に分かれていますが、基本的には、同じ日に試験を実施しています。そのため、技術系区分で考えられる併願日程も、ほぼ上記の事務系区分と同様です。

注意

第2次試験の日程も要チェック

第1次試験の日程さえ重なっていなければ、併願受験が可能です。また、近年は早期実施枠を設けたり、期間内の希望する日に受けられるSPIで実施したりする自治体が増えてきたため、より併願しやすくなりました。ただし、2次試験の日程が重なる可能性があるので、あらかじめ優先順位を考えておきましょう。

高卒程度試験を併願する場合

高卒程度の公務員試験を併願する場合も、考え方は大卒程度とおおむね同様です。通常、高卒程度の試験は9月から始まりますが、2024年度では、まず第1日曜日に国家公務員一般職、第2日曜日に東京都および東京特別区Ⅲ類の試験が、第4日曜日に市町村初級や県初級の試験が計画されており、これだけで3つの試験の併願が可能です。さらに事務系の職種の場合、衆議院事務局一般職試験（高卒程度）が主に9月の土曜日に実施されており、さらに併願のパターンが広がることになります。

公安系の試験を併願する場合

刑務官や入国警備官など、公安系の公務員試験は仕事の内容が特殊で採用後の仕事内容に大きな違いがあります。試験の併願は可能ですが、**仕事の内容が自分の志望に一致するかどうか**をよく考えて出願するようにしましょう。

■ 併願パターンの例（2024 年度の試験日程より）■

大卒程度事務系の場合

第 1 次試験日	試　験
3 月第 3 日曜日	国家総合職（教養区分以外）
4 月第 3 日曜日	東京都　東京特別区（一般方式）
5 月第 2 日曜日	北海道
5 月第 4 日曜日	国税専門官　労働基準監督官　財務専門官
6 月第 1 日曜日	国家一般職
6 月第 3 日曜日	県　京都府　政令指定都市等市町村　市町村

＊この他にも市町村上級採用試験日程はある。

大卒程度技術系の場合

第 1 次試験日	試　験
3 月第 3 日曜日	国家総合職
4 月第 3 日曜日	東京都　東京特別区（一般方式）
6 月第 1 日曜日	国家一般職
6 月第 3 日曜日	道県　政令指定都市等市町村　市町村

＊この他にも市町村上級採用試験日程はある。

高卒程度事務系の場合

第 1 次試験日	試　験
8 月第 3 日曜日	参議院事務局一般職
8 月第 4 土曜日	衆議院事務局一般職
9 月第 1 日曜日	国家一般職
9 月第 2 日曜日	東京都　東京特別区
9 月第 4 日曜日	道府県　政令指定都市　市町村

＊この他にも市町村初級採用試験日程はある。

高卒程度技術系の場合

第 1 次試験日	試　験
9 月第 1 日曜日	国家一般職
9 月第 2 日曜日	東京都　東京特別区
9 月第 4 日曜日	道府県　政令指定都市　市町村

＊この他にも市町村初級採用試験日程はある。

高卒程度公安系の場合

第 1 次試験日	試　験
8 月第 3 日曜日	参議院事務局衛視
8 月第 4 土曜日	衆議院事務局衛視
9 月第 3 日曜日	刑務官
9 月第 4 日曜日	皇宮護衛官　入国警備官　海上保安学校学生
11 月第 1 土曜日	防衛大学校学生

◎警察官採用試験と消防官採用試験は、都道府県・市町村により試験日が異なるので省略しています。
注意：上記の併願例は、大まかな職種グループで第1次試験日程のみを基準に表記しています。

6 中央省庁の業務内容を理解しよう

国家公務員の特別職、一般職の場合、実際に採用される省庁は、合格後に各省庁の面接を受けて決定されます。**自分の希望する分野に合った省庁**を見極めるため、**各省庁の業務内容**を前もって知っておきましょう。

■主な中央省庁の役割・業務内容■

会計検査院	財政監督機関。国または法律により定められた機関の会計検査を行い、適正な会計経理が行われているかどうかを監督している。国の収入および支出の決算を確認する。
人事院	中央人事行政機関。国家公務員採用試験の実施、給与、勤務時間、勤務条件の改善、人事行政の公正さの確保、職員の職務に関連する利益や倫理の保護につとめる。
内閣府	内閣機能を円滑に、しかも強化するための機関。内閣官房を補佐し、経済財政計画、総合科学技術政策、防災、沖縄・北方政策など、重要政策に関する企画立案、調整などを行う。
金融庁	内閣府の外局。経済を健全に発展させ、金融機能の安定の確保につとめる。金融政策に関する企画立案業務のほか、銀行などの民間金融機関に対しての監督、証券取引などの監視を行う。
公正取引委員会	内閣府の外局。自由で開かれた、公正な経済社会を作るための活動を行う。独占禁止法の運用などで、消費者の利益を守るなどしている。
内閣法制局	法制的な面から内閣を直接補佐する機関で、閣議に付される法律案、政令案および条約案の審査や法令の解釈などを行う。
宮内庁	皇室関係、天皇の国事行為に関する事務を行う。宮中行事、皇族の各地の訪問、諸行事に関する事務、皇室財産の管理などを行う。
警察庁	国家公安委員会の下に設置された警察組織の中枢。各種政策の立案、立法、警視庁をはじめとする各都道府県警察の指揮監督を行う。
消費者庁	消費者被害を防止するために、消費者事故情報を集約し、分析し、原因究明を行い、消費者に注意喚起を行ったり、悪質商法や偽装表示に対して各種の法律を執行したりする。
デジタル庁	2021 年 9 月に創設。各省庁の縦割りをなくし、内閣官房と共に、デジタル社会の形成を主導する。
こども家庭庁	2023 年 4 月に創設。こどもが自立した個人としてひとしく健やかに成長できる社会の実現にむけた政策を立案・実施する。

総務省	各省庁の組織管理。地方行財政、消防、選挙、放送通信などの国民の経済、社会生活の基盤を支えるシステムを管理する。
法務省	登記・戸籍などの民事業務、検察業務、矯正業務、更生保護、人権擁護など法務全般の業務を行う。
出入国在留管理庁	2019 年 4 月に発足した法務省の外局。入国管理業務のほか、外国人労働者の在留管理や生活支援などの業務を行う。
公安調査庁	法務省の外局。国や国民の安全の確保などが重要な業務の一つ。法律に基づき、各種団体の調査、処分、規制を行う。
外務省	国際機関等への参加・協力、条約締結の準備など、諸外国との交渉等の業務を担当する。海外に滞在、在住する日本人の安全や利益の保護、大使館、領事館への外交官の派遣なども行う。
財務省	国の経済、経済政策を総合的に管理する。国家予算の作成、税制・関税制度の企画立案、密輸入の取り締まりなどを行う。政府関係機関への資金の貸付、国有財産の管理などの業務も担当する。
国税庁	財務省の外局。国税の賦課に関する事務の企画立案、税務署の指導監督、法人の税務調査、悪質な脱税の告発などが具体的な業務。
文部科学省	豊かな人間性を備えた人材を育成するために、スポーツや文化、科学技術、学術、教育の総合的な振興、生涯学習の推進をはかる。
厚生労働省	誕生から、雇用、老後の生活に至るまで、国民の生活に安全と活力をもたらす活動を行っている。医療保険、健康保険、年金、介護保険、福祉衛生、食品等の安全性などに関する政策の企画立案と実施を担っている。雇用の創出、働く環境の整備、職業安定所の管理などを行う。
農林水産省	農林水産業の振興を図り、安全な食品の供給、食品産業の振興を行う。安全な食品提供に関連する業務、農村・漁村地域の発展、保護を行う。
経済産業省	経済成長の実現を図るための業務に取り組む。資源エネルギー、原子力の安全確保、中小企業支援、特許、リサイクルなどについての政策業務なども行う。
資源エネルギー庁	石油、電力、ガスなどのエネルギーの安定供給と省エネルギーや新エネルギーの開発研究に関する政策を行う。
国土交通省	国土の開発、保全などが主な業務。具体的には道路、河川、住宅の整備、自動車、航空、船舶等の交通政策などを行う。
観光庁	諸外国に対し、国をアピールし、外国人旅行者を増加させ、観光立国実現のためのさまざまな施策を展開する。
環境省	環境保全のための政策を行う。公害防止、産業廃棄物対策、大気汚染・水質の安全に関する政策、自然環境の保全などの業務を行う。
防衛省	国家の平和と独立、安全を保つための業務を行う。大規模災害等への対応なども行う。

索　引

あ

か

さ

た

な

は

ま

や

ら

わ

本書の正誤情報等は、下記のアドレスでご確認ください。
http://www.s-henshu.info/ckmh2408/

上記掲載以外の箇所で正誤についてお気づきの場合は、**書名・発行日・質問事項（該当ページ・行数・問題番号**などと**誤りだと思う理由**）・氏名・連絡先を明記のうえ、お問い合わせください。
・web からのお問い合わせ：上記アドレス内【正誤情報】へ
・郵便または FAX でのお問い合わせ：下記住所または FAX 番号へ
※電話でのお問い合わせはお受けできません。

［宛先］ コンデックス情報研究所
『公務員をめざす人の本 '26 年版』係
住　　所：〒 359-0042　所沢市並木 3-1-9
FAX 番号：04-2995-4362　（10:00 ～ 17:00　土日祝日を除く）

※本書の正誤以外に関するご質問にはお答えいたしかねます。また受験指導などは行っておりません。
※ご質問の受付期限は、2025 年 10 月末日必着といたします。
※回答日時の指定はできません。また、ご質問の内容によっては回答まで 10 日前後お時間をいただく場合があります。
あらかじめご了承ください。

■監修：北里敏明（きたざと としあき）
弁護士。昭和 47 年東京大学法学部卒業、同年司法試験合格。昭和 48 年自治省に入省。昭和 55 年ハーバードロースクール修士（LLM）。京都市副市長、自治省大臣官房企画室長、内閣府防災担当審議官などを経て、平成 14 年消防庁次長に就任。平成 15 年総務省退官。横浜国立大学客員教授、立命館大学非常勤講師を歴任。平成 18 年弁護士開業。平成 26 年弁護士法人北里綜合法律事務所を設立。

■編著：コンデックス情報研究所
1990 年 6 月設立。法律・福祉・技術・教育分野において、書籍の企画・執筆・編集、大学および通信教育機関との共同教材開発を行っている研究者・実務家・編集者のグループ。

■表紙デザイン・イラスト：ふるやデザイン・ルーム

公務員をめざす人の本 '26年版

2024年11月20日発行

監　修　北《きた》里《ざと》敏《とし》明《あき》
編　著　コンデックス情《じょう》報《ほう》研《けん》究《きゅう》所《しょ》
発行者　深見公子
発行所　成美堂出版
〒162-8445　東京都新宿区新小川町1-7
電話(03)5206-8151 FAX(03)5206-8159
印　刷　株式会社フクイン

ISBN978-4-415-23898-2
落丁・乱丁などの不良本はお取り替えします
定価は表紙に表示してあります